SYMBOLE
IN DER KUNST

SYMBOLE
IN DER KUNST

—

MATTHEW
WILSON

—

MIDAS

INHALT

6   **EINFÜHRUNG**

9   **HIMMEL UND ERDE**
10   Wasser
14   Berg
16   Wolken
20   Regenbogen
22   Blitz
24   Mond
28   Sonne
32   Feuer

37   **PFLANZEN**
38   Nelke
40   Zypresse
42   Lorbeer
44   Lilie
46   Lotos
50   Palme
52   Weinstock
56   Mohn
58   Sonnenblume

63   **VÖGEL**
64   Taube
66   Adler
70   Eule
72   Pfau
74   Phönix
76   Falke
78   Kranich

81	**TIERE**
82	Katze
86	Hirsch
88	Hund
92	Fisch
94	Löwe
96	Affe
100	Schlange
102	Pferd
106	Drachen

111	**KÖRPER**
112	Skelett
114	Schädel
116	Fuß
118	Pose
122	Handgesten
124	Blut
128	Auge
130	Engel
134	Nimbus

137	**BESITZTÜMER**
138	Muschel
140	Pfeil und Bogen
142	Krone
146	Maske
150	Waage
152	Schwert
156	Trompete
158	Zeitanzeigen
162	Spiegel

167	**Glossar**
172	**Literaturempfehlungen**
173	**Index**
175	**Bildnachweise**

EINFÜHRUNG

Die Motive von Kunstwerken zu entschlüsseln, ist die Aufgabe der kunsthistorischen Wissenschaft der Ikonografie. Das schließt auch der Inhalt dieses Buches mit ein: die Sprache der Sinnbilder, Motive und Symbole zu entziffern, die Künstler in ihren Werken einsetzen. Ein visuelles Symbol ist ein Motiv, das für etwas anderes steht, sei es ein Wert oder ein Konzept. Ein Hund zum Beispiel wird häufig mit Loyalität assoziiert, eine Waage mit Gerechtigkeit.

Die Interpretation der Symbole ist jedoch nicht immer offensichtlich. Zu den hier gezeigten Beispielen gehören Symbole, deren Bedeutung sich mit der Zeit gewandelt hat, andere wiederum sind mutiert. Dieses Buch entziffert einige der verloren gegangenen oder verwaschenen Bedeutungen hinter den Symbolen, legt ihre ursprüngliche Bedeutung wieder frei und zeigt uns, was wir durch sie über die Künstler, Kulturen und Ideologien lernen können, aus denen sie stammen.

Dadurch sind wir in der Lage, im Laufe der Geschichte ein bemerkenswertes Maß an internationalem Austausch visueller Symbole zu erkennen. Ein ursprünglich aus China stammendes Drachenmotiv finden wir zum Beispiel als Replik im Persien des Mittelalters wieder; und das Symbol eines Palmwedels – eigentlich kennzeichnet es den Sieg über den Tod – ist auf Gegenständen aus verschiedenen Epochen und Gegenden zu finden, so im Alten Ägypten, im Römischen Reich und im Europa der Renaissance, wobei seine Bedeutung immer dieselbe geblieben ist. Diese und viele andere Symbole wurden durch globalen Handel, geänderte Glaubensrichtungen, die Kolonialisierung und Kriege verbreitet. Das Studium der Symbole erzählt uns von den unerwarteten Verbindungen zwischen den Weltkulturen der Vergangenheit. Hier finden Sie eine Auswahl der am meisten verbreiteten Symbole in den Kulturen der Welt, die deren Macht ausdrücken und demonstrieren sollten und wie sie von Künstlern eingesetzt wurden, um eindrucksvoller, nuancierter und tiefgreifender zu kommunizieren.

HIMMEL UND ERDE

–

Eine Idee im besten Sinne kann nur durch ein Symbol ausgedrückt werden.

–

Samuel Taylor Coleridge
1817

WASSER

»In ihm wurden sie geboren, mit ihm lebten sie, mit ihm wuschen sie ihre Sünden hinweg und mit ihm starben sie«, schrieb der spanische Mönch Diego Durán 1581 über die Bedeutung des Wassers. Mit »sie« meint er die Azteken, ein Volk, dessen Ur-Wassergöttin Chalchiuhtlicue eine zentrale Rolle bei ihren Gottesdiensten und im Alltag einnahm, vor allem als Göttin der Geburt und der Fruchtbarkeit.

Diese Assoziationen sind nicht nur bei den Azteken zu finden: Wasser ist durch die Weltkulturen hinweg ähnlich konnotiert. Die Schöpfungsmythen der Hindus, Babylonier und Alten Ägypter bezeichnen das Wasser als Ursprung des Lebens. Im Christentum und dem Islam gilt Wasser als Mittel ritueller Waschungen. Bei den Griechen wird Wasser als eines der vier Elemente bezeichnet, aus denen sich alles andere im Universum zusammensetze, in der chinesischen Tradition ist es eines der fünf Elemente.

Wasser spielt im Verständnis des 24 Tonnen schweren Steins der Sonne eine wesentliche, wenn auch nicht unbedingt offensichtliche Rolle. Der Stein soll einst im Haupttempel der Azteken-Hauptstadt Tenochtitlán (jetzt Mexiko-Stadt) gelegen haben. Wie viele andere Artefakte der Aztekenkultur wurde auch dieser Stein von den spanischen Eroberern begraben – wenn auch zum Glück nicht zerstört –, als sie zu Beginn des 16. Jahrhunderts in Mittelamerika landeten und damit den Niedergang des Aztekenreichs einläuteten. Durch Piktogramme, Darstellungen von Gottheiten und Symbole geht man davon aus, dass der Stein der Sonne die destruktiven Zyklen der Weltzerstörung beschreibt, den Jahreskalender, die Rolle

Künstler unbekannt
Stein der Sonne, (aztekisch), 1502–1520
Basalt, 358 cm x 98 cm
Anthropologisches
Nationalmuseum,
Mexiko-Stadt

In der Mitte des Steins ist das Gesicht des Gottes Tonatiuh zu sehen, umgeben von vier Rechtecken mit Bildern der vier Epochen, die der aktuellen vorausgegangen sein sollen. In jeder wurde die Menschheit von verschiedenen Naturkatastrophen bedroht – die letzte endete mit einer weltweiten Flut und der Verwandlung aller Menschen in Fische (S. 92).

der Götter beim Schicksal der Menschheit und die Bedeutung von Menschenopfern.

Chalchiuhtlicues Kopf ist stilisiert rechts unterhalb des Gesichts in der Mitte dargestellt – Wasser wird hier eher personifiziert als direkt abgebildet. Ihre Anwesenheit auf dem Stein der Sonne ist Teil des symbolischen Zyklus der Schöpfung und Zerstörung, der uns an den Zorn der Götter und die elementare Kraft des Wassers erinnert, das gleichermaßen auslöschen wie verjüngen kann.

Wasser ist wie der Mond, die Sonne und das Feuer ein elementares Phänomen, das höchste Macht besitzt und deshalb bei Menschen aus ansonsten ganz unterschiedlichen Kulturen gleiche Assoziationen hervorruft. Im Unterschied zu den kleineren Symbolen aus Flora und Fauna wie der Mohnblume, des Kranichs und der Muschel, deren Implikationen eher durch lokale Gegebenheiten definiert sind, besitzt Wasser die größte symbolische Bedeutung.

Der zeitgenössische Videokünstler Bill Viola nutzt Wasser neben anderen Symbolen wie Feuer und Blut in seinem Werk, um ihm eine gewisse Direktheit und größere Wirkung zu verschaffen. Besonders Wasser hatte für den Künstler eine persönliche Bedeutung. Im Alter von sechs Jahren hatte Viola während eines Angelausflugs im Hinterland von New York einen Unfall, wobei er in einen See fiel. Sein Eintauchen ins Wasser beschrieb er als prägendes Erlebnis: »wunderschön« und »wie im Paradies«. Seine zehnminütige Videoprojektion *Tristan's Ascension* (Tristans Himmelfahrt) weckt diese Gefühle. Zu sehen ist ein Wasserfall von hinten, während sich ein Körper langsam von einem Bett erhebt und in der Wassersäule aufsteigt. Sie wurde erstmals 2004 in Los Angeles gezeigt und war Teil eines Auftrags, bei dem Violas Werk mit einer Produktion von Richard Wagners Oper *Tristan und Isolde* verknüpft wurde. Im letzten Akt sterben die beiden Hauptfiguren und Violas *Tristan's Ascension* sowie sein Partnerstück *Fire Woman* symbolisieren den Untergang der Liebenden und ihre Dematerialisierung. Wasser wird hier im Einklang mit der westlichen Ikonografie verwendet, wobei Tristans Verwandlung gleichermaßen Ertrinken, Taufe und Wiedergeburt ist.

Bill Viola
Tristan's Ascension
*(Der Klang des Berges
unter einem Wasserfall)*,
2005
Video/Ton-Installation
Farb-HD-Video-
Projektion, Vier Tonkanäle
mit Subwoofer (4.1),
projizierte Bildgröße
5,8 m x 3,25 m
Raumgröße variabel,
10.16 Minuten
Darsteller: John Hay

Violas Videokunst verbindet häufig Slow-Motion-Bilder mit archetypischen Sinnbildern wie Wasser, sodass moderne Medien mit antiker Symbolik kombiniert werden. Auch das Hauptmotiv ist eng mit der Tradition verflochten: Verherrlichende Szenen sind in der christlichen Bildsprache verankert, wo die Heiligen und die Jungfrau Maria nach ihrem Tod in den Himmel auffahren (siehe S. 25).

WICHTIGE KUNSTWERKE

- Andrea da Verrocchio und Leonardo da Vinci, Taufe Christi, 1475, Uffizien, Florenz, Italien
- Katsushika Hokusai, Die große Welle von Kanagawa (Japan), ca. 1830–1832, u. a. Metropolitan Museum of Art, New York, USA
- J. M. W. Turner, Schneesturm vor der Hafeneinfahrt, 1842, Tate, London, Großbritannien
- Michael Craig-Martin, An Oak Tree, 1973, Tate, London, Großbritannien

BERG

Vor der Erfindung der Luftfahrt im 20. Jahrhundert kam kein Mensch dem Himmel näher als durch die Besteigung der höchsten Berge. Darum überrascht es nicht, dass sie im Laufe der Menschheitsgeschichte immer wieder mit Göttern gleichgesetzt oder als Begegnungsstätte der Menschen mit den Göttern angesehen wurden. Die Navajo, die antiken Griechen, die Sumerer, die Ägypter und die präkolumbianischen Mesoamerikaner assoziierten Berge mit Heiligkeit. Anhänger des Daoismus konnten sich mental am besten in stiller natürlicher Umgebung konzentrieren, zum Beispiel in den Bergen. In Indien wird der Berg Kailash als Sitz des Hindu-Gottes Shiva verehrt und der buddhistische Berg Meru, der einst als Zentrum des Universums galt, wurde zur Inspiration für die Tempelarchitektur in Form der Stupas. In China waren die ersten Beispiele von Landschaften in der Kunst Skulpturen himmlischer Berge, die den Geist des Besitzers in eine höhere spiritistische Dimension versetzen sollten.

Katsushika Hokusai
Klare Morgendämmerung bei Südwind (oder *Roter Fuji*), aus der Serie *36 Ansichten des Berges Fuji*, ca. 1830–1832
Farbholzschnitt,
24,4 cm x 35,6 cm
Metropolitan Museum of Art, New York,

Himmel und Erde sind hier visuell vereint: Die Altocumulus-Wolken spiegeln die Streifen der Pinien darunter wider und die letzten Spuren des Schnees auf dem Gipfel wirken wie ein Blitz aus der Höhe.

Der Berg Fuji hat in Japan eine immense nationale und religiöse Bedeutung. 1830 begann der 70-jährige japanische Künstler Katsushika Hokusai eine Anthologie von 36 Ansichten des Berges. Die Serie ist ein geniales und höchst originelles Unterfangen, bei dem der Berg häufig im Kontext alltäglichen Lebens dargestellt wird und wie der Dreh- und Angelpunkt des Lebens in Japan fungiert. *Klare Morgendämmerung bei Südwind* zeigt den Fuji jedoch allein und betont seine Monumentalität, indem die Details auf ein Minimum reduziert werden und die Szene von Rot und Blau als Hauptfarben dominiert wird.

Fuji ist ein Vulkan, dessen letzte Eruption bereits über 100 Jahre zurücklag, als Hokusai seine Serie schuf. Seine Erscheinung wirkt latent gefährlich, wenn auch gleichzeitig lebensspendend – das Wasser, das seine konischen Flanken hinabfließt, bewässert die umliegenden Felder. Viele religiöse Gruppen in Japan verehrten den Berg Fuji als Ort, an dem man Zugang zur geistlichen Welt und Unsterblichkeit erlangen konnte. Pilger aus konfuzianischen, Shinto- und buddhistischen Sekten kamen in Scharen zum Berg, um Schreine zu errichten, und in Legenden des Landes wurden ihm viele mystische Eigenschaften zugeschrieben.

Hokusai selbst war Anhänger des Nichiren-Buddhismus, der die Anerkennung der spirituellen Bedeutung von irdischen Taten propagierte. Das mag auch der Grund für die Art und Weise sein, wie er die visuelle Verbindung zwischen dem himmlischen Berg und dem Alltag der Menschen schuf, ähnlich wie die europäischen Künstler seit der frühen Renaissance (z. B. Robert Campin in seinem *Mérode-Triptychon* auf S. 45) Gegenstände, Pflanzen und Tiere in irdische Umgebung setzten, um die Frommen aufzurufen, das Göttliche in ihrer Umgebung zu erkennen. Hokusais Farbholzschnitte waren für ein großes und diverses Publikum gedacht und konnten ungefähr zum selben Preis wie eine Schüssel Nudelsuppe erworben werden.

WICHTIGE KUNSTWERKE

- *Omphalos*, Hellenistische Periode, Archäologisches Museum von Delphi, Griechenland
- *Der Mahabodhi-Tempel*, 7. Jahrhundert n. Chr., Bodhgaya, Bihar, Indien
- Claude Lorrain, *Die Bergpredigt*, 1656, Frick Collection, New York, USA
- Anish Kapoor, *As if to Celebrate, I Discovered a Mountain Blooming with Red Flowers*, 1981, Tate, London, Großbritannien

WOLKEN

Heutzutage mag eine Regenwolke als schlechtes Vorzeichen für ein Picknick oder als schlechte Voraussetzung für eine Radtour gelten, zu anderen Zeiten waren die Assoziationen jedoch nicht immer negativ. Die schweren Wolken in Peter Paul Rubens' Gemälde *Heinrich IV. empfängt das Bildnis der Maria de' Medici* aus dem 17. Jahrhundert (S. 73) verheißen Glück, denn sie sind voll fruchtbarem Wasser, das für Wohlstand und Wachstum sorgen wird.

Wolken sind in religiösen Bildern häufig neben sakralen Elementen wie Engeln und Auren zu sehen. Sie können als Thron oder Fahrzeug einer Gottheit dienen, sowohl in östlichen wie auch in westlichen Religionen, zum Beispiel in der japanischen Skulptur *Hirsch, der einen geheiligten Spiegel der Fünf Kasuga Honji-Butsu trägt* aus dem 15. Jahrhundert (S. 86). Zu anderen Zeiten waren Wolken das Symbol göttlicher Geheimnisse, wie in den Darstellungen von Jupiter bei der Verführung Ios aus der klassischen Mythologie und bei Beschreibungen von Gott in der Bibel (Psalm 97:2). In Japan glaubte man, dass Amida, der himmlische Buddha, eine Wolke nutzte, um die Seele eines Sterbenden gen Himmel zu bringen (obwohl in der Skulptur aus dem 2. Jahrhundert keine dargestellt ist; S. 122). Das Motiv eines Drachens zwischen den Wolken wurde aus der chinesischen Tradition übernommen, um einen kommenden Frühlingsregen und den damit verbundenen Wohlstand zu symbolisieren.

In Sandro Botticellis *Primavera* spielen die Wolken eine einfache, wenn auch entscheidende Rolle. Ganz links stochert Merkur, der römische Götterbote, mit seinem Stab in einigen aufziehenden dunklen Wolken. Man nimmt an, das Gemälde als Ganzes sei eine allegorische Darstellung des kommenden Frühlings, darum schickt Merkur die Regenwolken weg. Er könnte jedoch auch auf der Suche nach Wissen den Himmel anstechen, damit das Licht der Weisheit auf die Erde kommt. Ungeachtet seiner Bedeutung preist Botticellis originale Komposition aus mythologischen Figuren und kryptischen Symbolen den Intellekt seines Mäzens – in diesem Fall ein Mitglied der einflussreichen Familie Medici aus Florenz.

S. 18–19:
Sandro Botticelli
Primavera (Der Frühling),
1477–1482
Tempera auf Holz,
202 cm x 314 cm
Uffizien, Florenz

In *Der Frühling* steht Venus im Zentrum der Komposition. Die Nymphe auf der rechten Seite wird in Flora verwandelt, die Göttin des Frühlings, links sehen wir die drei Grazien. Merkur ist mit den Wolken beschäftigt und nimmt die Ereignisse um sich herum kaum wahr.

Unbekannter Künstler
Rüstung (Gusoku, Japan),
spätes 18.–19. Jh.
Eisen, Lack, Gold, Silber
Kupferlegierung, Leder
und Seide, 138,4 cm x
57,2 cm x 52,1 cm
Metropolitan Museum of
Art, New York

**Das Motiv des Drachens
zwischen den Wolken auf
japanischen Rüstungen
wie auf diesem Bei-
spiel aus der späten
Edo-Periode steht glei-
chermaßen für inneren
Schrecken und Größe,
soll dem Träger aber auch
Glück bringen.**

WICHTIGE KUNSTWERKE

- *Krug mit Drachen* (China), frühes 15. Jh., Metropolitan Muse-
  um of Art, New York, USA
- Antonio Da Correggio, *Jupiter und Io*, 1532–1533, Kunsthisto-
  risches Museum, Wien, Österreich
- Nicholas Hilliard, *Man Clasping a Hand from a Cloud*, 1588,
  Victoria and Albert Museum, London, Großbritannien
- John Constable, *Wolkenstudie*, 1822, Ashmolean Museum,
  Oxford, Großbritannien

REGENBOGEN

Neben anderen Symbolen, die ihren Ursprung im Himmel haben,
wie Adler, Falken, Tauben, die Sonne und der Mond, bilden Regenbogen häufig die Verbindung zwischen Menschen und Göttern ab.
Amerindische und nordische Mythen stellen den Regenbogen im
Kontext göttlicher Kommunikation dar, Jesus wird beim Jüngsten
Gericht oft sitzend auf einem Regenbogen statt auf der ange-
stammten Wolke gezeigt. In der biblischen Geschichte von der Flut
stellte Gott einen Regenbogen an den Himmel, um den Bund mit

Angelika Kauffman
Farbe, 1778–1780
Öl auf Leinwand,
126 cm x 148,5 cm x
2,5 cm
Royal Academy, London

Ein Chamäleon sitzt neben der personifizierten Farbe als Begleiter bei der Farbherstellung.

den Menschen zu signalisieren, nachdem Noah Land erreicht hatte. Damit wird ein ähnliches Ereignis wiederholt wie beim früheren mesopotamischen *Gilgamesch-Epos*. Ein Regenbogen ist auch das Kennzeichen der Göttin Iris, die in der griechisch-römischen Mythologie eine Botschafterin des Himmels war, sozusagen der weiblichen Gegenpart zum Götterboten Hermes bzw. Merkur, den wir aus Sandro Botticellis *Primavera* kennen (S. 18–19).

In Angelika Kauffmans Gemälde ist die weibliche Figur ähnlich wie Iris gekleidet und angeordnet, dabei soll sie eigentlich die Personifizierung der Farbe sein. Dies war einer der Aspekte der Kunst, die Kauffman im Auftrag der Royal Academy's Council Chambers auf der Strand, London, malte, neben *Zeichnung (Design)*, *Erfindung (Invention)* und *Komposition (Composition)*. Die weibliche Allegorie in *Farbe* taucht ihren Pinsel in einen Regenbogen, um dessen Farben aus dem Himmel auf ihre Palette zu übertragen. Auch die drei Primärfarben wurden bewusst in der Szene untergebracht: Sie ist in Gelb und Rot gekleidet und sitzt vor einem blauen Himmel. Als eines der nur zwei weiblichen Gründungsmitglieder der Royal Academy gewinnt zudem Kauffmans Darstellung der aktiven, heroischen weiblichen Allegorien für die vier Elemente an Bedeutung.

Regenbogen haben auch in anderem Kontext eine Bedeutung. Sie treten selten auf, werden darum häufig mit Glück und Wohlstand verbunden, zum Beispiel in der Kultur der Dahomey in Westafrika oder in China werden sie bei Ereignissen wie Hochzeiten eingesetzt. Ein Regenbogen vereint alle Farben in sich, als solcher wird er auch als Symbol für Harmonie in Flaggen für Frieden oder die LGBTQ-Bewegung verwendet.

WICHTIGE KUNSTWERKE

- Adriaen Pietersz. van de Venne, *Die Seelenfischerei*, 1614, Rijksmuseum, Amsterdam, Niederlande
- Peter Paul Rubens, *Die Regenbogen-Landschaft*, ca. 1636, Wallace Collection, London, Großbritannien
- Joseph Wright of Derby, *Landscape with a Rainbow*, 1794, Derby Museum and Art Gallery, Derby, Großbritannien
- Wassily Kandinsky, *Kosaken*, 1910–1911, Tate, Liverpool, Großbritannien
- Norman Adams, *Rainbow Painting (I)*, 1966, Tate, London, Großbritannien

BLITZ

Als Kontrast zur allgemein glückverheißenden und beruhigenden Bedeutung von Wolken und Regenbogen werden Blitze in den Welt-religionen eher als Waffen göttlicher Strafe dargestellt. Ein Blitz ist zum Beispiel das Merkmal von Zeus/Jupiter und des Hindu-Gottes Indra; im Buddhismus und Hinduismus repräsentiert ein stilisierter Blitz, ein *Vajra*, die göttliche Macht des Erschaffens und Zerstörens.

Der Blitz ist auf dem mythologischen Maya-Gefäß nicht zu sehen, aber er wird durch eine Axt in der rechten Hand von Chaak symbolisiert, des Regengottes, der mittig auf diesem tumulthaft dekorierten Trinkgefäß dargestellt wird. Das Gefäß stammt aus der Region, die heute als Guatemala bekannt ist. Die Blitz-Axt ist in dieser Szene von überragender Bedeutung, in der die lebensschaf-fenden und -zerstörenden Eigenschaften des Wassers thematisiert werden. Mit dieser Axt wird Chaak den Himmel öffnen und Regen über das Land ergießen.

Er ist inmitten in einer Art Tanz dargestellt, mit einem Fuß in der Luft, in der linken Hand hält er einen animierten Stein. Über die wirkliche Bedeutung der Szene ist man sich unklar, doch Chaak könnte mit der Axt ausholen, um sie im weiten Bogen auf den Ja-

Unbekannter Künstler
Mythologisches Gefäß
(Maya), 7.–8. Jh.
Keramik, 14 cm x 11,4 cm
Metropolitan Museum of
Art, New York

Die Füße des Maya-Regengottes Chaak werden mit dem Erbro-chenen aus dem Schlund des Berges bespritzt – ein Sinnbild für die Fäulnis durch die stauende Nässe.

guar niederzuschmettern (eine Maya-Gottheit), der direkt vor ihm liegt. Der Jaguar liegt auf einem deformierten Tier, das den Geist des Berges darstellt. Hinter ihm tanzt der Gott des Todes als Reaktion auf Chaak, er hält die Hände gen Himmel, bereit, den Geist des Jaguars nach dessen Hinrichtung zu empfangen. Eine andere Interpretation geht davon aus, dass der Tanz von Chaak und dem Todesgott den Jaguar in das Land der Lebenden beschwört. In jedem Fall liefert die Szene dieselbe Botschaft über die Macht des Blitzes: Nachdem Chaak seine Axt in den Himmel geschlagen und für Regen gesorgt hat, ist für Fruchtbarkeit und neues Leben gesorgt.

Walter De Marias *The Lightning Field* ist ein Beispiel für die Land Art des 20. Jahrhunderts und nimmt auf dem Hochplateau von New Mexico eine riesige Fläche ein. 400 Edelstahl-Masten in wurden auf einer Fläche von 1 Meile x 1 km in einem Raster aufgestellt, um Blitze anzuziehen.

WICHTIGE KUNSTWERKE

- Giorgione, *La Tempesta (Das Gewitter)*, ca. 1507, Accademia, Venedig, Italien
- Francisque Millet, *Mountain,* Landschaft mit Blitz, ca. 1675, National Gallery, London, Großbritannien
- William Blake, *The Great Red Dragon and the Woman Clothed with the Sun*, ca. 1805, National Gallery, Washington, USA
- *Gokoshima (Fünfzackiger Vajra)*, 12.–14. Jahrhundert, Brooklyn Museum, New York, USA

Walter De Maria
The Lightning Field, 1977
400 Stahlstangen,
1 Meile x 1 km
Langzeitinstallation,
West-New Mexico

Diese Skulptur verbindet uns mit dem Urgefühl, sich klein zu fühlen und zu staunen – angesichts der schieren Naturgewalt. Es korrigiert unser Gefühl von Größe relativ zum Kosmos.

MOND

Blitze und die Sonne werden als Symbole generell mit der Macht männlicher Götter assoziiert. Im Gegensatz dazu verbindet man in griechisch-römischen, chinesischen, keltischen und ägyptischen Religionen den Mond mit weiblichen Gottheiten. Dasselbe trifft auf das Christentum zu: In Kapitel 12 der Offenbarung wird eine Frau erwähnt:»Eine Frau, die mit der Sonne bekleidet war; sie hatte den Mond unter ihren Füßen, und auf ihrem Kopf trug sie eine Krone aus zwölf Sternen.« Diese Beschreibung wurde von Künstlern übernommen, die Maria in Szenen der unbefleckten Empfängnis darstellen, darum wurde der Mond Teil der Ikonografie der Jungfrau Maria.

Ein Halbmond als Symbol der jungfräulichen Keuschheit wurde von der Stadt Konstantinopel übernommen, als sie in christlicher Hand war, später eigneten ihn sich jedoch die arabischen Armeen an, die die Stadt im 15. Jahrhundert besetzten, danach wurde der Halbmond das Wahrzeichen des Ottomanischen Reichs.

In Mythologien aus der ganzen Welt wird der Mond häufig mit Wahnsinn und unbegründeten Handlungen verbunden, ebenso mit seiner Macht über die Gezeiten. In China ist der Mond eine weibliche, eine »Yin«-Kraft und wird mit Hasen assoziiert. Auf kaiserlichen Roben ist der Mond ein glückbringendes Symbol, in dem Kleid auf S. 28 wird er auf der rechten Schulter mit einem Hasen im Zentrum dargestellt.

Die opulente *Maria als Himmelskönigin* wurde von einem niederländischen Maler für ein Konvent nahe Burgos in Spanien gefertigt. Darauf fährt Maria mit Jesus, Gott und dem Heiligen Geist (dargestellt als Taube) in den Himmel auf, wo sie als Königin des Paradieses gekrönt werden wird. Diese Szene soll durch die aufwendige Ausstattung und den himmlischen Chor den Geist des Betrachters auf die Herrlichkeit des Lebens nach dem Tod lenken.

Meister der Lucialegende
Maria als Himmelskönigin,
1485–1500
Öl auf Holz,
199,2 cm x 161,8 cm
National Gallery,
Washington

Der gelbe Halbmond, auf dem Maria steht, ist in der christlichen Ikonografie ein Symbol der Keuschheit.

Ähnlich wichtig ist die Ausstattung der erkennbaren Symbole, nicht zuletzt Marias golden schimmernder Mond unten in der Komposition, der als himmlisches Transportmittel fungiert.

Max Ernst
Men Shall Know Nothing of This, 1923
Öl auf Leinwand,
80,3 cm x 63,8 cm
Tate, London

Ernst schrieb ein rätselhaftes Gedicht auf die Rückseite des Gemäldes, das es mit einer psychoanalytischen Studie Sigmund Freuds über einen Mann in Verbindung bringt, der sich für einen Zwitter hielt. Im Gemälde symbolisieren Sonne und Mond nebeneinander die Prinzipien von Männlichkeit und Weiblichkeit.

Ein umgekehrter Halbmond erscheint oben in der Komposition von Max Ernsts surrealistischem Gemälde *Men Shall Know Nothing of This,* gemalt 1923 in Paris. Der Mond und andere Elemente in diesem Gemälde gehorchen weniger der Ikonografie des christlichen Symbolismus als einem eher kryptischen System basierend auf Psychoanalyse und Alchemie. Eine große sonnenähnliche Scheibe oben im Bild berührt den Mond, darunter ist ein kopulierendes Paar zu sehen, dargestellt als Beine ohne Körper. Weiter unten sind Kreise in Form eines Diagramms der Planeten-Umlaufbahnen dargestellt, deren Schatten die Sonne auf die Wüste am unteren Bildrand wirft.

Die Kombination aus Symbolen führte dazu, dass es von Kunsthistorikern als Referenz an Sigmund Freuds Fallstudie von Daniel Paul Schreber, einem ehemaligen Richter, der im Wahn war, hermaphrodit zu sein, betrachtet wird. Freud zeichnete die Faszination seines Patienten für die Sonne und seine Furcht vor Zerstückelung auf, ebenso seine Befürchtung, Schreber würde kastriert und er leide unter paranoider Schizophrenie. Dies wird durch die Verbindung von Sonne-Mann und Mond-Frau symbolisiert, ebenso durch die körperlosen phallischen Objekte auf dem Wüstenboden. Die alchemistischen Symbole umringen das kopulierende Paar, was die Gegensätze betont. Ernst war von Esoterik und der freudschen Analyse fasziniert, schließlich hatte er selbst in den 1920er-Jahren Psychologie studiert, ebenso wie sein Surrealisten-Kollege André Breton (der ausgebildeter Psychoanalytiker war).

WICHTIGE KUNSTWERKE

- Francisco de Goya, *Hexensabbat*, 1798, Lázaro Galdiano Museum, Madrid, Spanien
- Tsukioka Yoshitoshi, *Chang E Flees to the Moon* aus *One Hundred Aspects of the Moon* (Japan), 1885, British Museum, London
- Evelyn De Morgan, *Helen of Troy*, 1898, Wightwick Manor, Wolverhampton, Großbritannien
- Henri Rousseau, *Der Traum*, 1911, Museum of Modern Art (MoMA), New York, USA

SONNE

Unbekannter Künstler
Kaiserliche Drachenrobe
(Mang Pao), ca. 1840
Seidenbrokat (*Kesi*),
Mittlere Rückenlänge
154,9 cm
Philadelphia Museum
of Art, Philadelphia

**Das rote Sonnensymbol
ist auf der linken Schul-
ter der Robe zu finden,
bewusst möglichst nah
am Kopf des Kaisers, um
seinen Geist mit dem
Himmel zu verbinden.**

*Kaiserliche Drachenrobe
(Mang Pao, Detail),*
ca. 1840
Seidenbrokat (*Kesi*),
Mittlere Rückenlänge
154,9 cm
Philadelphia Museum
of Art, Philadelphia

**Die Sonne wird hier
als eine rote Kugel mit
dreibeinigem Vogel
dargestellt.**

In den Weltkulturen wird die Sonne häufig als Symbol der mächtigsten Werte verwendet. In der Kunst der Renaissance ist sie ein Merkmal der Allegorie der Wahrheit, Sonnengottheiten sind in zahllosen Mythen von babylonischen über ägyptische, keltische, griechische, indische, Cherokee- und Maya-Zivilisationen vertreten.

Auf der linken Schulter der Drachenrobe sehen wir eine Sonne als Symbol für eine untadelige Autorität, hier für einen weltlichen Herrscher. In China steht die Sonne für Männlichkeit und ein aktives »Yang« im Gegensatz zum weiblichen und passiven Mond (»Yin«), dem Symbol der Kaiserin. Generell symbolisiert die kaiserliche Robe noble Eigenschaften in den »Zwölf Muster« (Sonne, Mond, Sterne, Drachen, Fu, Axt, Wasserpflanze, Weinschale, Fasan, Feuer, Berg und Reis), alles Glückssymbole der Lehren des Konfuzius. Auf der Vorderseite des Gewands sind die Sterne (unter dem Kragen), Drachen, das Symbol Fu (eine spezielle Stickerei, dem Kaiser vorbehalten) und die Axt (knapp unter der linken und rechten Brust) zu sehen, weiterhin die Wasserpflanzen und die Weinschalen links und rechts unten im gelben Bereich. Die anderen Symbole findet man auf dem Rücken. Nur dem Kaiser war es gestattet, alle Symbole gleichzeitig auf den kaiserlichen Gewändern zu tragen, selbst die leuchtend gelbe Farbe war ihm vorbehalten.

Auch die Position der Symbole auf der Robe ist von Bedeutung: Sonne, Mond und Sterne sind dem Kopf am nächsten. Die weniger bedeutsamen Symbole folgen weiter unten. Wenn der Kaiser diese Robe trägt, symbolisiert er den Kosmos, sein Kopf ist dem Himmel am nächsten. Die geringeren Ränge am chinesischen Hof trugen Gewänder mit weniger Symbolen, um sie von den höheren Rängen zu unterscheiden. Hier erleben wir ein gutes Beispiel dafür, wie Uniformen zum erfolgreichen Machtgefüge beitragen und wie es durch die Symbolik von Farbe, Material und Form möglich ist, den Status einzelner Personen voneinander zu unterscheiden.

Das Symbol der Sonne des Kaisers von China wurde in Japan übernommen und die Macht dieser Symbolik blieb bis heute erhalten – die Nationalflagge Japans zeigt noch immer die aufgehende Sonne.

Ein Beispiel, wie die Sonnensymbolik bis in die heutige Zeit fortgeführt wurde, ist *The weather project* von Olafur Eliasson – eine monumentale Installation im Auftrag der Tate Modern in London. Er hängte seine Replik der untergehenden Sonne in der Turbinenhalle des einstigen Kraftwerks am Ufer der Themse auf – und betont damit ihre Rolle als dauerhafte erneuerbare Energiequelle.

Olafur Eliasson
The weather project, 2003
Monofrequente Leuchten, Projektionsfolie, Nebelmaschinen, Spiegelfolie, Aluminium, Gerüste, 26,7 m x 22,3 m x 155,4 m
Kurzzeitige ortsspezifische Installation in der Turbinenhalle
Tate Modern, London

Dies ist auch eine Sonne für das Anthropozän: begrenzt, verkleinert und von ihrem einstigen Thron gehoben.

WICHTIGE KUNSTWERKE

- *Tafel des Sonnengottes*, Tempel von Shamasch, Sippar, Babylon, 860–850 v. Chr., British Museum, London
- Michelangelo, *Die Erschaffung der Sonne, des Mondes und der Pflanzen*, 1511, Sixtinische Kapelle, Vatikanstadt
- Claude Monet, *Impression, Sonnenaufgang*, 1872, Musée Marmottan Monet, Paris, Frankreich
- Nancy Holt, *Sun Tunnels*, 1973–1976, Great Basin Desert, Utah, USA

FEUER

In diesem Kapitel ist Feuer das einzige Element, das vom Menschen erschaffen und kontrolliert werden kann, dennoch wird es in vielen Weltkulturen als heilig dargestellt, mit der Macht der Läuterung, des Opfers und der religiösen Erleuchtung. Die Symbolik des Feuers ist zum Beispiel bei *Shiva Nataraja* (Shiva Gott des Tanzes) des Smithsonian von höchster Bedeutung, und zwar als Aussage über die himmlische Autorität dieser Gottheit, einem der drei Hauptgötter des Hinduismus.

Shiva hält *Agni*, eine dreizackige Flamme, in seiner linken Hand, die das Feuer repräsentiert, mit dem er das Universum zerstören wird. In der rechten Hand hält er ein *Damaru*, eine Trommel, deren Tempo den Kosmos wiederbelebt. Die gesamte Figur ist von einem Reifen umgeben (ähnlich einer Aura oder einem Halo), aus dem Flammen austreten, die das kosmische Armageddon durch Feuer versinnbildlichen. Durch diese visuellen Zeichen wird Shivas Rolle als Zerstörer/Schöpfer kommuniziert – ebenso das Konzept von Zeit als endloser Schleife aus (Wieder-)Geburt und Tod.

Der Dämon unter seinen Füßen steht für die Ignoranz, die während des Tanzes mit Füßen getreten wird. Eine standardisierte Ikonografie für Shiva Nataraja – für diese ist das Kunstwerk ein großartiges Beispiel – entstand im 5. Jahrhundert n. Chr., sie wurde unter Führung der Chola-Dynastie perfektioniert. Die Cholas waren eine Familie, die im Süden Indiens, auf Sri Lanka, den Malediven und anderen Regionen Südostasiens herrschte. Die Promotion dieses energiegeladenen und anmutigen Bildes, in dem Shiva mit wehenden Dreadlocks einen dynamischen, gleichzeitig jedoch ausgewogenen Tanz vollführt, mag von den Cholas vorangetrieben worden sein. Sie zeigt den Geist des Triumphs der Familie über die besetzten Völker.

Unbekannter Künstler
Shiva Nataraja (Indien),
ca. 990, Bronze,
70,8 cm x 53,3 cm x
24,6 cm
Smithsonian, Washington

Shiva ist neben Vishnu und Brahma einer der drei Hauptgötter des Hinduismus. Shiva wird in vielen Erscheinungsformen abgebildet, als Nataraja (Gott des Tanzes) verkörpert er die zyklische Energie des Universums: Er zerstört es mit Feuer, bevor er es neu erschafft.

Anselm Kiefer
Mann im Wald, 1971
Acryl auf Baum-
woll-Leinwand,
174 cm x 189 cm
Centre Pompidou, Paris

**Es ist möglich, dass
Kiefer eine Art modernen
Propheten darstellt,
wobei die Flamme die
Erleuchtung kennzeich-
net wie der brennende
Busch in hebräischen
Erzählungen oder das
Pfingstfeuer in biblischen
Beschreibungen.**

Die Vorstellung, dass Feuer zerstören, reinigen und neuer-
schaffen kann, ist auch ein Jahrtausend später in einer Arbeit des
Deutschen Anselm Kiefer präsent: *Mann im Wald*. Wie viele von
Kiefers Werken beschäftigt es sich mit der deutschen Identität und
damit, wie das deutsche Volk mit dem Erbe des Zweiten Weltkriegs
umgeht.

Mann im Wald zeigt eine langhaarige Figur mit Oberlippenbart,
die den Künstler selbst darstellt, in einem Fichtenwald. In der Hand
hält sie einen brennenden Zweig und ist von einer weißen Aura
umgeben, ähnlich wie *Shiva Nataraja*. Der Wald ist im Titel nicht
näher bezeichnet, aber wie in anderen Gemälden spielt das Werk
vermutlich im Teutoburger Wald. Dieser Wald spielt im National-
bewusstsein der Deutschen eine große Rolle, denn hier schlugen
germanische Stämme im Jahr 9 n. Chr. die Römer. Der römische
Historiker Tacitus zeichnete auf, dass gefangene Römer von ihren
Gegnern im Feuer geopfert wurden. Die allgemeine Bedeutung
des Bildes enthält jedoch auch eine gewisse Doppeldeutigkeit. Es
ist möglich, dass sich Kiefer als Reiniger der toxischen deutschen
Geschichte versteht, wobei das Feuer zum Symbol für eine ver-
besserte deutsche Identität wird.

WICHTIGE KUNSTWERKE

- *Huehueteotl, Gott des Feuers* (Mixtec), Sonnenpyramide, Teoti-
  huacan, 600–900 n. Chr., Anthropologisches Nationalmuseum
  von Mexiko-Stadt, Mexiko
- Giotto di Bondone und Werkstatt, *Pfingsten*, ca. 1310–1318,
  National Gallery, London, Großbritannien
- Peter Paul Rubens, *Prometheus mit dem Adler*, 1612, Philadel-
  phia Museum of Art, USA
- K Foundation (Jimmy Cauty and Bill Drummond), *K Foundation
  Burn a Million Quid*, 1994, Isle of Jura, Schottland

PFLANZEN

-

Je größer und nachdenklicher die Künstler,
umso mehr erfreuen sie sich am Symbolismus
und umso furchtloser gebrauchen sie ihn.

-

John Ruskin
1856

NELKE

Auch wenn man sie leicht übersehen könnte, sind die zwei gekreuzten rosa Nelken auf der weißen Bodenkachel in der unteren linken Ecke von *Die Graham-Kinder* ein wichtiger Schlüssel zur Deutung. Wie viele andere Pflanzen in diesem Buch, etwa Mohn, Palme und Lorbeer, ist die Nelke nicht besonders selten. Die ihr im Laufe der Zeit zugeschriebenen Bedeutungen erlauben es Künstlern, ihren Werken Details und Komplexität zu verleihen.

Im Allgemeinen steht die Nelke sowohl in der europäischen als auch der asiatischen Kunst für das Verlöbnis; in China wird sie typischerweise mit der Ehe assoziiert und oft zusammen mit einer Lilie und einem Schmetterling dargestellt. Außerdem wird sie häufig mit der Jungfrau Maria in Verbindung gebracht – es heißt, aus den Tränen, die Maria nach der Kreuzigung vergossen habe, seien Nelken gewachsen, und rosa Nelken bedeuteten daher mütterliche oder teilnahmsvolle Liebe.

Hogarths *Die Graham-Kinder* hält vier Stadien der Kindheit fest und zeigt die entspannte Atmosphäre eines wohlhabenden Londoner Haushalts aus dem 18. Jahrhundert. Es sind die Kinder von Daniel Graham, dem Apotheker von König George II. Hogarth stellt sie als sorglose Kinder dar, deutet aber auch deren Schicksale an. Thomas, das jüngste Familienmitglied, sitzt auf einem kunstvollen, goldenen Wägelchen und isst einen Zwieback. Henrietta, die Älteste, führt ihren Bruder mit mütterlicher Hand und fixiert den Betrachter mit ihrem Blick. Anna Maria neben ihr knickst wie eine Debütantin, während ihr Bruder Richard herumalbert – er neckt seinen Stieglitz im Vogelbauer mit dem mechanischen Lied der Vogelorgel. Von ihm unbemerkt wird der Vogel von einer Katze aufgeschreckt, die gerade von hinten auf seinen Stuhl gesprungen ist.

Interessanter als die Figuren und ihre Handlungen ist jedoch die Vielzahl an Symbolen, die uns eine zweite Bedeutungsebene eröffnen. Nelken liegen unter Thomas und Henrietta. Sie ist blau gekleidet wie Maria und hält Kirschen, die Frucht des Paradieses, die manchmal in der Hand des Jesuskindes zu sehen sind. Selbst der Stieglitz im Käfig kann auf einer symbolischen Ebene verstan-

Detail aus William Hogarth
Die Graham-Kinder, 1742

Bevor Hogarth das Gemälde fertigstellen konnte, war Thomas Graham, der Junge ganz links, im Alter von zwei Jahren verstorben. Die zarten Nelken auf dem Fußboden sind zweifellos das subtilste und ergreifendste Symbol für Opfer und persönlichen Verlust in dem Bild.

William Hogarth
Die Graham-Kinder, 1742
Öl auf Leinwand,
160,5 cm x 181 cm
National Gallery, London

Sichel und Stundenglas auf der Uhr verstärken den allegorischen Subtext des Gemäldes. Die reifen Äpfel, Birnen und Trauben in dem Korb im Vordergrund deuten auf das geringe Alter des Jungen hin, während die Katze, die den Vogel erschreckt, uns an ständige Gefahren erinnert, wie die Kindersterblichkeit im 18. Jahrhundert in Großbritannien.

den werden: Er wird oft neben Christus gezeigt und hat vor der Kreuzigung angeblich einen Dorn aus Jesu Krone gezupft. Das Rot in seinem Gefieder soll das Blut des Gekreuzigten sein. Auch wenn es dazu keine direkte Aussage des Künstlers gibt, scheint es wahrscheinlich, dass Hogarth bewusst symbolische Verweise auf das Martyrium Christi in das Gemälde aufnahm, um den schmerzlich frühen Tod des zweijährigen Thomas Graham anzudeuten.

WICHTIGE KUNSTWERKE

- Leonardo da Vinci, *Die Madonna mit der Nelke*, 1478–1480, Alte Pinakothek, München
- Andrea Solario, *Ein Mann mit einer rosa Nelke*, ca. 1495, National Gallery, London, Großbritannien
- Francisco de Goya, *Bildnis der Marquesa de Pontejos*, ca. 1786, National Gallery of Art, Washington, USA
- John Singer Sargent, *Nelke, Lilie, Lilie, Rose*, 1885–1886, Tate, London, Großbritannien

ZYPRESSE

»Die Zypressen beschäftigen immer meine Gedanken, ich sollte aus ihnen etwas machen, genau wie aus den Sonnenblumen ... Ihre Linien und Proportionen sind so wunderbar wie ein ägyptischer Obelisk. Und das Grün ist ganz besonders ... es ist ein Spritzer von Schwarz in einer sonnigen Landschaft.« Dieser Auszug aus einem Brief Vincent van Goghs an seinen Bruder im Jahre 1889 erhellt ein wenig, was Zypressen ihm bedeuteten – ohne Zweifel beeinflusst durch seinen Geisteszustand nach einer Reihe von Zusammenbrüchen im Jahr zuvor. Für van Gogh war die Zypresse (genau wie der Olivenhain) das eindeutige Merkmal der französischen Provence, in der er sich niedergelassen hatte. Seine Worte zeigen aber auch, dass er sich ihrer historischen Assoziationen bewusst war.

Im alten Griechenland und Rom sowie in China und auf dem indischen Subkontinent verdeutlichen Zypressen Langlebigkeit und sogar Unsterblichkeit, da sie immergrün waren. Interessanterweise

Vincent van Gogh
Sternennacht, 1889
Öl auf Leinwand,
73,7 cm x 92,1 cm
Museum of Modern Art
(MoMA), New York

In *Sternennacht* könnte die aufragende Zypresse im Vordergrund entweder als Mahnmal dienen oder als Symbol für die Ewigkeit, das Himmel und Erde verbindet: wunderschön, proportioniert und ein schwarzer Fleck auf der provenzalischen Landschaft.

werden sie genau wie der Mohn auch mit dem Tod in Verbindung gebracht und sind daher traditionell auf Friedhöfen zu finden. Die Zypresse hat angeblich die Macht, Leichname zu erhalten.

In Japan besitzen Zypressen eine besondere religiöse Bedeutung: Ihr duftendes Holz wird beim Bau von buddhistischen Tempeln und Shinto-Schreinen verwendet und bei Shinto-Zeremonien werden Zypressenzweige verbrannt. Kano Eitokus *Zypresse*, gemalt im 16. Jahrhundert, scheint wie van Goghs voll spiritueller Energie zu sein, während sie sich in den Himmel reckt und mit ihrem Stamm und den Zweigen die sie umgebende Landschaft umfasst.

Van Gogh war von der japanischen Kultur fasziniert, allerdings ist es unwahrscheinlich, dass er Eitokus Gemälde kannte. Anders als *Sternennacht* war *Zypressen* ein funktionales Möbelstück – eine Schiebetür (*fusuma*), deren großzügiger Blattgoldbelag sie nicht nur in ästhetischer, sondern auch in monetärer Hinsicht wertvoll macht. Das Werk war von dem mächtigen Feudalherrn Toyotomi Hideyoshi für die adlige Familie Hachijônomiya in Auftrag gegeben worden, für die dieser kräftige und heilige Baum ein angemessen würdiges Wahrzeichen darstellen würde.

Kano Eitoku
Zypressen-Schiebetür,
16. Jahrhundert
Tusche auf blatt-
vergoldetem Papier,
170,3 cm x 460,5 cm
Nationalmuseum, Tokio

Während die Zypresse bei van Gogh dessen innere Gefühle verkörpert, ist Eitokus Baum ein schmeichelhaftes Symbol für seinen Gönner: Er besaß religiöse Macht und Eitoku zeigte ganz deutlich, wie er sich in seiner Umgebung durchsetzt.

WICHTIGE KUNSTWERKE

- Jan Weenix, *Jagdstillleben mit einem toten Reiher (Gamepiece with a Dead Heron)*, 1695, Metropolitan Museum of Art, New York, USA

- Hubert Robert, *Zypressen*, 1773, Eremitage, St. Petersburg, Russland

- Katsushika Hokusai, *Der Mishima-Pass in der Provinz Kai*, aus der Serie *36 Ansichten des Berges Fuji* (Japan), ca. 1830–1832, Metropolitan Museum of Art, New York, USA

- Arnold Böcklin, *Die Toteninsel*, 1880, Kunstmuseum Basel, Schweiz

LORBEER

Der Begriff »Laureat« (wie bei Poet Laureate) leitet sich vom Lorbeer, lateinisch laurus, ab, der mit Ehre, Vortrefflichkeit und Sieg in den Künsten oder im Kampf assoziiert wurde. In der griechischen und römischen Mythologie war er dem Apoll geweiht. Er verehrte die Pflanze, nachdem Daphne, die jungfräuliche Nymphe, in die er sich verliebt hatte, sich in einen Lorbeerbaum verwandelte, um seinen Nachstellungen zu entgehen. Sieger in Sport-, Poesie- und Musikwettkämpfen des antiken Griechenland wurden mit einem Lorbeerkranz bekrönt und in der römischen Kunst wurden den Siegern in Militärkampagnen Lorbeerkränze und Palmwedel verehrt.

In Vermeers *Die Malkunst* – gemalt im niederländischen Delft – ist die weibliche Figur in Blau Klio, die Muse der Geschichts-

Jan Vermeer
Die Malkunst, 1666
Öl auf Leinwand,
130 cm x 110 cm
Kunsthistorisches
Museum, Wien

Vermeer lenkt unseren Blick auf den Lorbeerkranz, indem er Klios Kopf in den zentralen Teil der Komposition setzt, genau in den Schnittpunkt der horizontalen und vertikalen Randlinien der Karte.

schreibung, deren Rolle als Lobpreiserin großer Ereignisse sich in ihren Attributen offenbart: der Trompete der Verkündigung, dem Buch des Wissens und dem Lorbeerkranz. Der Künstler, der uns den Rücken zuwendet, ist in dem Augenblick festgehalten, in dem er den Kranz malt und vielleicht die Kunst der Malerei als gleichwertig zur Poesie oder Philosophie zelebriert.

Ein Palmwedel spiegelt den Lorbeerzweig auf der Rückseite von Leonardos *Ginevra de' Benci*; gemeinsam umschließen sie einen Wacholderzweig. Alle haben eine allegorische Bedeutung: Der Wacholder (italienisch: *ginepro*) ist ein Spiel mit dem Namen Ginevra, der Lorbeer symbolisiert die poetischen Fähigkeiten des Modells und die Palme verweist wahrscheinlich auf die Tugend (siehe S. 50–51). Wie um alle Zweifel auszuräumen, fügte Leonardo das Motto *Virtutem Forma Decorat* (»Schönheit schmückt die Tugend«) hinzu. Diese Anordnung der Symbole formte auch das persönliche Wahrzeichen des venezianischen Botschafters in Florenz, Bernardo Bembo, und daher könnte das Porträt auch ein Ausdruck der Freundschaft zwischen Bembo und de' Benci sein.

Leonardo da Vinci
Ginevra de' Benci,
1474–1478
Öl auf Holz,
38,1 cm x 37 cm
National Gallery,
Washington, USA

Die Rückseite von Leonardos *Ginevra de' Benci* (links) enthält ein symbolisches Porträt, das das Bild auf der Vorderseite ergänzt.

WICHTIGE KUNSTWERKE

- *Ara Pacis Augustae* (Altar des Friedens des Augustus), 9 v. Chr., Ara-Pacis-Museum, Rom, Italien
- Paolo Veronese, *Mann zwischen Tugend und Laster*, ca. 1565, Frick Collection, New York, USA
- Gian Lorenzo Bernini, *Apollo und Daphne*, 1622–1625, Galleria Borghese, Rom, Italien
- Antonio Canova, *Apollo, der sich die Krone aufsetzt*, 1781–1782, The J. Paul Getty Museum, Los Angeles, USA

LILIE

Lilium candidum – die am häufigsten verwendete Lilienart in der westlichen darstellenden Kunst – besitzt eine faszinierende Weiße, die gut zu ihrer heiteren Form und Gesamtgröße passt. Diese Eigenschaften brachte man in den mediterranen Zivilisationen häufig mit den Tugenden Jungfräulichkeit und Reinheit in Verbindung. Vermutlich stammt *Lilium candidum* aus Palästina und dem Libanon am östlichen Rand des Mittelmeers, allerdings bietet uns die Mythologie fantasievollere Erklärungen für ihr Auftauchen. Als Hera/ Juno, die Königin der Olympischen Götter der griechisch-römischen Mythologie, den Halbgott Herakles/Herkules säugte, spritzte die Milch über Himmel und Erde. Im Himmel entstand daraus die Milchstraße, auf der Erde wuchsen Lilien dort, wo die Tropfen landeten. Die Verbindung zwischen Lilien und göttlicher Reinheit und Mütterlichkeit gibt es sowohl im jüdischen als auch im christlichen Symbolismus. In der biblischen Kunst gilt die Lilie als ein Attribut der Jungfrau Maria (neben anderen Symbolen wie dem Mond) und ist oft in den Szenen der Verkündigung zu sehen.

Daher steht eine Vase mit Lilien in der Mitte des *Mérode-Triptychons*. Dieses dreiteilige Altarbild zeigt ein für Christen bedeutendes Ereignis – die Ankündigung durch den Engel Gabriel, dass Maria, eine sterbliche Frau, den Messias gebären werde. Die Szenerie, die einen alltäglichen niederländischen Hof zeigt, wirkt gewöhnlich. Dabei strotzt sie vor symbolischen Details, die sich als alltägliche Objekte tarnen, wie die Lilien, die Kerze, das Bronzebecken in der oberen linken Ecke. Das Ganze bietet uns einen Einblick in die mittelalterliche europäische Gedankenwelt, die jedes irdische Objekt als potenzielle Quelle göttlicher Bedeutung betrachtete, dessen Signifikanz sich den Frommen und den Neugierigen erschließt. Es erzählt uns von ihrer Begierde, selbst zu erleben, wie das Mystische aus den einfachen Dingen des täglichen Lebens hervorbricht.

Robert Campin
Mérode-Altarbild,
1427–1432
Tempera und Öl auf Holz,
64,5 cm x 117,8 cm
Metropolitan Museum of
Art, New York

Die weiße Lilie repräsentiert die Reinheit der Jungfrau Maria. Sie ist oft in Verkündigungsszenen zu sehen – manchmal in einer Vase, so wie hier, manchmal aber auch in den Händen des Erzengels Gabriel.

WICHTIGE KUNSTWERKE

- Simone Martini, *Verkündigung*, 1333, Uffizien, Florenz, Italien
- Francisco de Zurbarán, *Das Haus in Nazareth*, ca. 1640, Cleveland Museum of Art, Cleveland, USA
- Sir Stanley Spencer, *Die Auferstehung, Cookham*, 1924–1927, Tate, London, Großbritannien
- David Hockney, *Mr and Mrs Clark and Percy*, 1970–1971, Tate, London, Großbritannien

LOTOS

In vielen Kulturen der Welt ist der Lotos ein Symbol der spirituellen Reinheit und möglicherweise ist er auch das erhabenste aller Pflanzensymbole in diesem Buch. Zu seinem überragenden Erfolg als Symbol tragen zweifellos auch seine biologischen Eigenschaften bei: Seine Wurzeln stecken im Schlamm des Flussbettes, während seine Blüte (die sich am Morgen öffnet und in der Nacht wieder schließt) heiter und gelassen über der Wasseroberfläche schwebt. Er verkörpert also die Schönheit, die aus dem Chaos erwächst, und die Interaktion der sterblichen Erde mit der göttlichen Sonne.

Besonders wichtig ist der Lotos im Hinduismus als Symbol der Perfektion und göttlichen Geburt: Es heißt, Brahma sei aus einem goldenen Lotos geboren worden. Die Blüte ist das Zeichen vieler Gottheiten, wie Vishnu, Surya, Padmapani, Lakshmi, Parvati, Sarasvati und Skanda. Im Buddhismus ist er außerdem gleichbedeutend mit Unbeflecktheit und verkörpert die Erleuchtung, nach der Buddha strebt. Buddha wird oft auf einem Lotosthron sitzend dargestellt, und der Lotos ist eines der acht Glückssymbole auf seinem Fuß.

Lotos ist auch das Symbol Oberägyptens und verschiedener ägyptischer Gottheiten, darunter Nefertem, der aus einer Lotosblüte hervorging: eine unbefleckte Geburt aus dem Chaos des Urwassers. Der *Kopf des Nefertem* ist eigentlich ein Porträt des Pharao Tutanchamun (ca. 1341 bis ca. 1323 v. Chr.) in der Erscheinung des Nefertem im Augenblick seiner Lotosgeburt. Diese Vereinigung des Königlichen und des Himmlischen sollte dazu dienen, Tutanchamun mit der Sonnengottheit zu verbinden und die regenerative Kraft der ägyptischen Götter auszudrücken. Hier wurde der Lotos zum Symbol der weltlichen Autorität.

Unbekannter Künstler
Kopf des Nefertem
(Ägypten), 18. Dynastie
(1549–1292 v. Chr.)
Holz, Gips und Farbe,
Höhe: 30 cm
Ägyptisches Museum,
Kairo, Ägypten

Der Lotos war ein Symbol der königlichen Macht im antiken Ägypten.

Genau das Gegenteil bedeutet er im *Kosmologischen Mandala mit dem Berg Meru.* Hier repräsentiert der innere Kreis etwas Entscheidendes für den buddhistischen Glauben: den immer wiederkehrenden Kreislauf aus Geburt, Tod und Reinkarnation – das heißt, bis letztlich Meditation und Selbsterkenntnis eine Befreiung in das Nirwana zulassen, einen Zustand kompletter spiritueller Erleuchtung.

Mandalas sollen auf eine ganz andere Weise betrachtet werden als westliche Kunstwerke: Sie sind Diagramme des Kosmos, mit einem symmetrischen Layout und konzentrischen Schichten aus Quadraten und Kreisen, die Bereiche der Existenz darstellen. Sie werden bei der Meditation verwendet, um den Betrachter von der (weltlichen) Peripherie zum (erleuchteten) Zentrum zu geleiten.

Die Randbereiche zeigen Vasen, aus denen sich Lotosblumen herauswinden, sowie die chinesischen acht Schätze. Innerhalb des Kreises sind vier Quadranten mit jeweils drei Miniaturlandschaften in unterschiedlich geformten Rahmen, die auf den vier Hauptkompassrichtungen liegen. Jedem Quadranten wurden eine Farbe und eine Form zugeordnet:

Norden (Uttarakuru) – Gold/Gelb; Quadrat
Osten (Videha) – Silber/Weiß; Halbkreis
Süden (Jambudvipa) – Lapislazuli/Blau; Trapezoid
Westen (Godaniya) – Rubinrot; Kreis

Vor dem Berg Meru sehen wir sieben konzentrische Quadrate, die Bergketten und Ozeane repräsentieren. Der Berg in der Mitte wird von den chinesischen Symbolen für Sonne (ein dreibeiniger Hahn) und Mond (Hase) flankiert. Im Zentrum des spirituellen Universums befindet sich der Gipfel des Berges Meru (der umgekehrt ist, sodass er wie ein Kelch aussieht), auf dem der göttliche, achtblättrige Lotos sitzt.

WICHTIGE KUNSTWERKE

- *Amitābha Buddha* (China), 585 n. Chr., British Museum, London, Großbritannien
- *Sumpfszene*, Grab von Menna (Ägypten), 1924, Nachbildung des Originals von ca. 1400–1352 v. Chr., Metropolitan Museum of Art, New York, USA
- Fariborz Sahba, Lotostempel, 1986, Neu-Delhi, Indien
- Lois Conner, *Xi Hu, Hangzhou, China (Dreieckiger Lotos)*, 1998, Metropolitan Museum of Art, New York, USA

Unbekannter Künstler
Kosmologisches Mandala mit dem Berg Meru (China), 14. Jahrhundert
Seidengobelin (*kesi*), 83,8 cm x 83,8 cm
Metropolitan Museum of Art, New York

Das chinesische *Kosmologische Mandala mit dem Berg Meru* enthält eine ganze Reihe der Symbole, die in diesem Buch behandelt werden: Berge, Wasser, Sonne, Mond und verschiedene Blumen. Am wichtigsten ist jedoch das Motiv, das in der Mitte der Szene, auf dem Berg Meru, der Achse der Welt, zu sehen ist: eine Lotosblüte.

PALME

Der symbolische Wert der Palme rührt wie der des Weinstocks aus ihrer Rolle als fruchttragende Pflanze und weniger aus der ihr innewohnenden Schönheit. Die Dattelpalme war ein wichtiges Element der Landwirtschaft des antiken Assyrien und galt deshalb als »Baum des Lebens«. Diese Assoziation mit Fruchtbarkeit, Nahrung (und dem Sieg über den Tod) wurde in die ägyptische, dann in die griechisch-römische und schließlich in die christliche Ikonografie übertragen.

In Ägypten hielt Heh, der Gott der Ewigkeit, einen gekerbten Palmzweig – jede Kerbe symbolisiert ein Jahr und die Palme steht entsprechend für das ewige Leben. Bei Griechen und Römern war der Palmzweig Symbol für militärischen Erfolg und ein Zeichen der Siegesgöttin Nike/Victoria. Als Jesus im Triumph nach Jerusalem einzog, wurden ihm Palmwedel unter die Füße gelegt – daran erinnert heute der Palmsonntag. Mit der Zeit wurde der Palmzweig im Christentum zum Symbol des Märtyrers, weil er den Sieg über den Tod kennzeichnet. Dies entwickelte sich zu einer allgemeinen Assoziation mit der Tugend. Die Palme auf dem Boden in Rossettis Bild *Die Jugendzeit der Jungfrau Maria* soll den Betrachter an den künftigen Märtyrertod von Marias Sohn Jesus erinnern.

Die Jugendzeit der Jungfrau Maria war das erste Gemälde mit den Initialen »PRB«. Diese bezeichneten die Präraffaelitische Bruderschaft, eine Gruppe junger englischer Maler, die sich gegen die künstlerischen Ideale der Royal Academy auflehnten. Sie wollten die Natur exakt studieren und darstellen und außerdem spirituelle Ideen vermitteln – um den, wie sie es sahen, zerstörerischen Wirkungen der Industrialisierung und ihrer Gefahr für die Natur und die gesellschaftliche Harmonie entgegenzutreten. Inspiriert durch den Kunstkritiker John Ruskin hatten visuelle Symbole eine große Bedeutung für die Präraffeliten, weil sie Zugang zu den spirituellen Konzepten boten, gleichzeitig aber ein sorgfältiges Studium der natürlichen Form erlaubten. Sie schauten zurück auf Künstler wie Botticelli, Bellini und van Eyck, deren Werke vor Raffael (1483–1520) und seinem idealisierenden Stil datieren. Die Figur von Marias Vater Joachim spiegelt nicht nur die Pose von Merkur in *Primavera* (S. 18–19), sondern Rossetti griff auch auf traditionelle visuelle

Dante Gabriel Rossetti
*Die Jugendzeit der
Jungfrau Maria,*
1848–1849
Öl auf Leinwand,
83,2 cm x 65,4 cm
Tate, London

**Das Palmblatt auf dem
Boden erinnert an Christi
Einzug in Jerusalem, als
die Menschen laut dem
Johannes-Evangelium
Palmzweige nahmen
»und gingen hinaus ihm
entgegen und riefen:
Hosianna!«**

Symbole aus der Renaissance-Malerei zurück, wie Lilie, Taube, Wein
und, auf dem Boden, einen Dorn und ein Palmblatt, um die Kreuzigung Christi anzukündigen. Maria stickt eine Lilie und denkt ebenso
über deren innere Bedeutung nach, wie Rossetti sich das von den
Betrachtern seines Gemäldes wünschte.

WICHTIGE KUNSTWERKE

- *Paschedu betet neben einer Palme,* Grab des Paschedu,
  1279–1213 v. Chr., Deir el-Medina, Ägypten
- Pietro Lorenzetti, *Einzug in Jerusalem*, ca. 1320, Basilika von
  San Francesco in Assisi, Italien
- Caravaggio, *Das Martyrium des Hl. Matthäus*, 1600,
  Contarelli-Kapelle, Kirche San Luigi dei Francesi, Rom, Italien
- Anselm Kiefer, *Palmsonntag*, 2006, Tate, London,
  Großbritannien

WEINSTOCK

Giovanni Bellini
*Der Heilige Franziskus in
der Wüste*, 1475–1480
Öl auf Holz,
124,1 cm x 142 cm
Frick Collection,
New York

Der Weinstock ist in
einer Weise in ein Spalier
gepflanzt, die sich später
auch bei Dante Gabriel
Rossettis *Die Jugendzeit
der Jungfrau Maria* (S. 51)
wiederfindet.

Weinblätter findet man in vielen Kontexten in den verschiedenen globalen Religionen und Kulturen. Sie waren ein Attribut des ägyptischen Gottes Osiris und tauchen auch in der buddhistischen Ikonografie auf. In der griechisch-römischen Kultur symbolisierten Weinblätter und -trauben den Status des Gottes Dionysos/Bacchus als Gott des Weines, der Fruchtbarkeit und der rituellen Raserei. Sie zieren die Ränder von bildhauerischen Szenen, die ihn zeigen, bilden seine Krone und verzieren die Utensilien seiner Anhänger. Im Christentum besitzt der Wein eine ganz andere Bedeutung. Im Johannes-Evangelium verkündet Jesus: »Ich bin der wahre Weinstock ...«, und die Pflanze dient als eine Allegorie der Beziehung zwischen den Menschen und Gott. Deshalb kann der Wein entweder Christus selbst repräsentieren oder – wenn die Trauben oder die Weinranken neben Getreide dargestellt werden – das Brot und den Wein der Eucharistie. In Renaissance-Verzeichnissen von Emblemen (*Emblemata*) symbolisiert die Weinranke, die an einer toten Ulme emporwächst, die andauernde Freundschaft.

Der Heilige Franz von Assisi (1181–1227) war berühmt für seine Hingabe an Christus und seine Liebe für Natur und Tiere, Aspekte, die Giovanni Bellinis *Der heilige Franziskus in der Wüste* besonders betont, das dieser zwischen 1475 und 1480 in Venedig malte. Zwei Pflanzen dominieren den oberen Teil der Szene: ein Lorbeer, der sich als Reaktion auf Franziskus' Gebet zu verneigen scheint, und ein Weinstock, der seine Hingabe an Christus symbolisiert.

Yinka Shonibares *Letztes Abendmahl (Nach Leonardo)*, entstanden in London, vereint die beiden westlichen Assoziationen mit dem Weinstock für eine satirische Wirkung. Die Szene basiert auf dem *Letzten Abendmahl* von Leonardo da Vinci. Christus wurde hier allerdings durch eine Dionysos/Bacchus-Figur mit Bocksbeinen ersetzt und wo Leonardos Tisch ordentlich aussieht, ist Shonibares ein Durcheinander aus Weintrauben, umgeworfenen Sektgläsern, auseinandergerissenen Fleischstücken und schreiend bunten Tulpen.

WICHTIGE KUNSTWERKE

- *Kopf des Dionysos* (Gandhara, heute Pakistan), 4.–5. Jahrhundert, Metropolitan Museum of Art, New York, USA
- Peter Paul Rubens, *Bacchus*, 1638–1640, Eremitage, St. Petersburg, Russland
- Jerzy Siemiginowski-Eleuter, *Allegorie des Herbstes*, 1680er, Palastmuseum Wilanów, Warschau, Polen
- Grinling Gibbons, Lindenholz-Altarbild, 1684, St. James Church, Piccadilly, London, Großbritannien

Yinka Shonibare
*Das letzte Abendmahl
(Nach Leonardo)*, 2013
13 lebensgroße
Mannequins, bedruckte
Baumwollstoffe (Dutch
Wax), Tisch- und Stuhl-
Reproduktionen, silbernes
Besteck und Vasen, antike
und reproduzierte Gläser
und Geschirr, Glasfaser-
und Kunstharz-Essen,
158 cm x 742 cm x
260 cm
Stephen Friedman
Gallery, London

**Das Bacchanal-Thema
soll die Betrachter an den
historischen Hedonismus
und die Exzesse, etwa im
vorrevolutionären Frank-
reich erinnern (die Figu-
ren haben keine Köpfe,
um an die Hinrichtungen
während des Großen
Terror zu erinnern), aber
auch an das zeitgenös-
sische Missverhältnis
zwischen Reichtum und
Armut, das im Kern der
globalen Bankenkrise von
2007–2008 lag.**

MOHN

Opium wird aus den Samenständen der Mohnpflanze gewonnen,
weshalb diese häufig als Symbole für die Wirkung des Opiums
dienen: Schlaf, Degeneration und in der Folge Tod. Mohn ist das
Attribut von Hypnos, dem griechischen Gott des Schlafs, und Nyx,
der Renaissance-Allegorie der Nacht. In der christlichen Kunst ist
das satte Rot des Mohn dagegen das Symbol des Blutes Christi. Die
Assoziation mit dem Opfertod setzt sich in die moderne Zeit fort. In
Großbritannien, Australien, Neuseeland, Kanada und Irland werden
künstliche Mohnblumen zum Jahrestag der Beendigung des 1. Weltkriegs getragen, um jener zu gedenken, die im Krieg gefallen sind.

Die größte Blume, die auf der Wasseroberfläche von Sir John Everett Millais' *Ophelia* schwimmt, ist eine rote Mohnblume. Sie symbolisiert Ophelias Tod durch Ertrinken. Gemalt in London, ist es eine Szene, die durch Shakespeares *Hamlet* inspiriert wurde, in der die junge Ophelia vor Trauer wahnsinnig wird, nachdem ihr Geliebter Hamlet versehentlich ihren Vater getötet hatte. Während sie außer sich ist vor Trauer, verteilt Ophelia Blumen an die Höflinge und erklärt deren symbolische Bedeutung. Später fällt sie in einen Bach und ertrinkt. Allerdings ist die Todesszene im Stück nicht zu sehen, sondern wird durch Königin Gertrude beschrieben. Diese Szene hatte Millais sich vorgestellt und nutzte sie als Inspiration für die lebendige Beschreibung, wie Ophelia fiel:

Sir John Everett Millais
Ophelia, 1851–1852
Öl auf Leinwand,
76,2 cm x 111,8 cm
Tate, London

Millais brachte Monate damit zu, an einem Bach in Surrey zu malen, um alle Einzelheiten der natürlichen Gegebenheiten ausreichend exakt festzuhalten. Die Mohnblume sticht besonders hervor, weil Rot und Grün Komplementärfarben sind.

Sie selbst ins weinende Gewässer. Ihre Kleider
Verbreiteten sich weit und trugen sie
Sirenen gleich ein Weilchen noch empor ...
   Bis ihre Kleider, die sich schwer getrunken,
Das arme Kind von ihren Melodien
Herunterzogen in den schlammigen Tod.

Millais war Mitglied der Präraffaelitischen Bruderschaft, für die die Sprache der Symbole ausgesprochen wichtig war (siehe *Die Jugendzeit der Jungfrau Maria* von Dante Gabriel Rossetti auf S. 51). In *Ophelia* besitzt jede sorgfältig dargestellte Blume eine besondere Bedeutung, die in Shakespeares Stück definiert ist. Einige Blumen jedoch, wie der Mohn, werden in *Hamlet* nicht erwähnt, sodass Millais' viktorianisches Publikum eines der vielen jüngst veröffentlichten Bücher über floralen Symbolismus konsultieren musste, wie etwa Mary Ann Bacons *Flowers and their Kindred Thoughts* (1848), um das Bild zu interpretieren.

WICHTIGE KUNSTWERKE

- Marmorsarkophag mit dem Mythos von Selene und Endymion (römisch), frühes 3. Jahrhundert, Metropolitan Museum of Art, New York, USA
- Paolo Veneziano, *Madonna mit der Mohnblume*, ca. 1325, San Pantalon, Venedig, Italien
- Michelangelo, *Die Nacht*, 1526–31, Neue Sakristei in der Basilica di San Lorenzo in Florenz, Italien
- Paul Cummins und Tom Piper, *Blood Swept Lands and Seas of Red*, 2014 (temporäre Installation am Tower of London, Großbritannien)

SONNENBLUME

Sonnenblumen sind in Amerika heimisch und wurden erst im
16. Jahrhundert in Europa eingeführt. Schon bald wurden sie ein
künstlerisches Symbol für die Hingabe, da die unreife Blüte dem
Lauf der Sonne über den Himmel folgt. In Sir Anthonis van Dycks
Selbstbildnis mit Sonnenblume wirkt die Pflanze selbst wie ein Modell – sie scheint den Blick des Künstlers nachzuahmen, ihre oberen Blütenblätter sind sorglos zurückgelegt wie die Haarsträhnen
auf van Dycks Stirn. Die Handgesten verstärken diese Verbindung,
allerdings hält die linke Hand außerdem lässig die Goldkette, die
der Künstler um den Hals hat. Van Dyck hatte sie von König Karl I.
von England erhalten, als dieser ihn adelte und zum Hofmaler
ernannte. Die Sonnenblume symbolisiert daher seine unerschüt-
terliche Treue zu dem Herrscher, eine Idee, die er möglicherweise
einem der verschiedenen Emblembücher entnommen hat, die es
im 17. Jahrhundert gab. Wie bei anderen Gemälden in diesem Buch
wäre nur eine kunstliebende Elite in der Lage gewesen, van Dycks
Ikonografie zu entschlüsseln.

Die Kultivierung der Sonnenblume geschah vermutlich etwa
3000 v. Chr. im Süden Nordamerikas. Dorothea Tanning malte
Eine Kleine Nachtmusik in dieser Gegend – dem heutigen Arizona –,
als sie dort mit ihrem Partner und künftigen Ehemann Max Ernst
lebte (siehe *Men Shall Know Nothing of This* auf S. 26).

Sir Anthonis van Dyck
Selbstbildnis mit
Sonnenblume, 1633
Öl auf Leinwand,
73 cm x 60 cm
Privatsammlung

Auch wenn wir nur weni-
ge Möglichkeiten haben,
die Interpretation zu
bestätigen, wird im All-
gemeinen angenommen,
dass die Sonnenblume in
van Dycks Selbstbildnis
die Treue des Künstlers zu
König Karl I. von England
ausdrücken soll.

In Dorothea Tannings Hand drückt die Sonnenblume persönliche und psychologische Gedanken aus. Sie sagte, dass sie die
Blume mit der drückend heißen Arizona-Sonne verband, und
erklärte:

> Es geht um Konfrontation. Jeder glaubt, er/sie ist sein/ihr
> Drama. Auch wenn sie nicht immer riesige Sonnenblumen (die
> aggressivste der Blumen) haben, um darum zu streiten, gibt es
> immer noch Treppen, Flure, sogar sehr private Theater, wo die
> erstickende Enge und die Endgültigkeiten sich abspielen …

In einer Vorgehensweise, die ausgesprochen charakteristisch für
Künstler des 20. und 21. Jahrhunderts ist, warf Tanning die her-
kömmliche Ikonografie in *Eine Kleine Nachtmusik* (gegenüber) über
Bord und verwendete stattdessen Symbole, die einen privaten und
entsprechend ominös mehrdeutigen Widerhall haben.

WICHTIGE KUNSTWERKE

- Bartholomeus van der Helst, *Bildnis einer Dame mit einer
  Sonnenblume*, 1670, Privatsammlung
- Charles de la Fosse, *Clytia verwandelt in eine Sonnenblume*,
  1688, Grand Trianon, Versailles, Frankreich
- Vincent van Gogh, *Sonnenblumen*, 1888, National Gallery,
  London, Großbritannien
- Egon Schiele, *Sonnenblume II*, 1910, Wien Museum, Wien,
  Österreich

Dorothea Tanning
Eine Kleine Nachtmusik,
1943
Öl auf Leinwand,
40,7 cm x 61 cm
Tate, London

Durch die Blume
kann Tanning auf das
Vorhandensein einer
undefinierten Wildheit
hindeuten, die die
beiden jungen Mädchen
beeinflusst – das wird
besonders deutlich durch
die zwei abgerissenen
Blütenblätter. Die
Stelle, an der sie entfernt
wurden, ist – sicher nicht
zufällig – auf die sich
öffnende Zimmertür
ausgerichtet.

VÖGEL

-

Woher denn wisst ihr, ob nicht jeder Vogel, durchschneidend die Luft, unermesslich eine Welt der Freude ist, verschlossen euch von eurer Sinne fünf?

-

William Blake
1793

TAUBE

El Greco
Verkündigung, 1597
Öl auf Leinwand,
315 cm x 174 cm
Prado, Madrid

In der späten christlichen
Ikonografie wurde die
Taube zu seinem Symbol
des Heiligen Geistes.
Darum ist sie zuweilen
als Dekoration in Kirchen
oder Szene wie El Grecos
Verkündigung zu sehen,
das in Spanien gemalt
wurde.

In vielen Weltkulturen werden Tauben mit positiven Eigenschaften wie Frieden und der Seele des Menschen assoziiert, im Unterschied zu anderen Vögeln in diesem Buch wie Adler und Falke, die allgemein als Macht- und Statussymbole gelten. Tauben sind bereits in Kunstwerken der ältesten Kulturen zu finden, meist in Gegenwart einer starken weiblichen Gottheit der Fruchtbarkeit wie Inanna (in der sumerischen Kultur), auch bekannt als Ischtar (im Kaiserreich Akkadien in Mesopotamien, ca. 2334–2154 v. Chr.) und Astarte (bei den Phöniziern, ca. 2500–539 v. Chr.). Ebenso ist die Taube ein Merkmal der griechisch-römischen Liebesgöttin Aphrodite/ Venus. In der Han-Dynastie in China erschienen Tauben als Symbol des Wohlstands, in Japan werden sie mit Einigkeit assoziiert.

Auf frühen christlichen Gräbern repräsentiert eine Taube mit Olivenzweig die Seele, die in Frieden im Himmel ruht. Das ist auf die Geschichte der Arche Noah im Alten Testament im Buch Genesis zurückzuführen, in der eine zurückkehrende Taube mit Olivenzweig im Schnabel den Bund zwischen Gott und Menschen andeutet.

WICHTIGE KUNSTWERKE

- Zierornamente in Form einer Taube (China), ca. 206 v. Chr. bis 220 n. Chr., Ashmolean Museum, Oxford, Großbritannien
- Deckenmosaik, frühes 6. Jh., Baptisterium der Arianer, Ravenna, Italien
- Tizian, *Venus und Adonis*, 1550er-Jahre, Metropolitan Museum of Art, New York, USA
- Banksy, *Armoured Dove of Peace*, 2007, Grenzwall im Westjordanland, Israel/Palästina

Pablo Picasso
Taube mit Blumen, 1957
Buntstift auf Papier,
50 cm x 65 cm
Privatsammlung

Picasso berichtete 1950 auf einem Friedenskongress in Sheffield und schloss:»Ich bin für das Leben und gegen den Tod. Ich bin für den Frieden und gegen den Krieg.«

ADLER

Auf Kehinde Wileys Porträt von *Ice-T* sind Kopf und Flügel eines Adlers unter den Füßen des legendären Rappers zu sehen. Der Adler ist das Symbol der Macht, weltberühmt aus den Symbolen der Römischen Kaiser und ihrer Armeen. Das Volk Roms akzeptierte den Adler als höchsten unter den Vögeln, denn Jupiter, der höchste Gott und König der Götterwelt, hatte den Adler als Kennzeichen. Zuvor waren Adler göttliche Symbole in der sumerischen Kultur und im Zoroastrianismus. Seit der Römerzeit wird der Adler als Motiv zahlreicher Reiche wiederverwendet, darunter für das Heilige Römische Reich (800–1806 n. Chr.), das Napoleonische Reich (1804–1815 n. Chr.) und das Russische Kaiserreich (1721–1917 n. Chr.). Wileys Gemälde enthält viele Symbole, der Adler ist jedoch das mit der längsten Geschichte.

Ice-T wurde vom Musikkanal VH1 in Auftrag gegeben und gehört zu seiner Serie von Starporträts, die Wiley für die Hip Hop Honors-Awards 2005 schuf. Wie bei vielen anderen von Wileys Gemälden wurde eine zeitgenössische, afroamerikanische Persönlichkeit in ein berühmtes Gemälde aus der westlichen Kultur eingesetzt, um unseren Erwartungen zuwiderzulaufen und uns die visuelle Sprache der Macht und Selbstdarstellung überdenken zu lassen.

Bevor er das Projekt anging, traf sich Wiley mit Ice-T zum Gedankenaustausch über die Art und Weise der Darstellung. »Er legte schon ein ziemlich schockierendes Ego und auch Maßlosigkeit an den Tag«, sagte Wiley später. »Ich lud all diese Promis ein, so zu sein, wie sie sein wollten, und er entscheidet sich schnurstracks für ein Porträt von Napoleon. Er meinte, wenn jemand verdient hätte, Napoleon zu sein, dann sei er das ja wohl. Schließlich sei er der Vater des Gangster-Rap. Also krönte er sich selbst.«

Kehinde Wiley
Ice-T, 2005
Öl auf Leinwand,
243,8 cm x 182,9 cm
Privatsammlung

Wiley recycelte und adaptierte *Napoleon I. auf seinem kaiserlichen Thron* von Jean-Auguste-Dominique Ingres von 1806, um Ice-T als den allmächtigen Kaiser des Hip-Hop darzustellen, mit allen traditionellen Machtsymbolen.

Jacopo Tintoretto
*Die Entstehung der
Milchstraße*, 1575, Öl auf
Leinwand,
149,4 cm x 168 cm
National Gallery, London

**Tintoretto nutzte
die Wahrzeichen von
Jupiter/Zeus bzw. Hera/
Juno – den Adler und
den Pfau –, um das
Paar in der Geschichte
der Entstehung der
Milchstraße darzustellen.
Das Gemälde wurde
beschnitten: Anfänglich
zeigte es Lilien, die
dort wuchsen, wo die
Muttermilch von Hera/
Juno auf die Erde traf.**

Das Napoleon-Porträt, für das sich Ice-T entschied, war *Napoleon I. auf seinem kaiserlichen Thron* von Ingres. An den Details im Original nahm Wiley kaum Veränderungen vor. Allerdings ist eine Veränderung offensichtlich: In Ingres' Version liegt die Spitze des Zepters von Charlemagne, das Napoleon in der linken Hand hält, auf dem Flügel des Adlers. Bei Wiley ist sie auf den Kopf des Adlers gerichtet, während Ice-Ts linker Zeigefinger nach unten zeigt und die Aufmerksamkeit des Betrachters auf das mächtige Symbol lenkt. Wileys künstlerische Inbesitznahme ist in der westlichen Kultur nicht ohne Beispiel. Ingres selbst hatte die Komposition und Pose sogar aus früheren Werken übernommen – darunter von Phidias' Statue des *Zeus* in Olympia (ca. 435 v. Chr.) und von Jan van Eycks Darstellung des Gottesvaters auf dem *Genter Altar* (1432) –, um sein Bild mächtiger wirken zu lassen. In konventionellen Darstellungen von Zeus/Jupiter, wie in Tintorettos *Die Entstehung der Milchstraße*, wird der Gott häufig über einem Adler gezeigt, der einen Blitz hält. Das hat mit dem römischen Glauben zu tun, dass der Adler die Seele des Kaisers nach dessen Tod in den Himmel bringt.

In Tintorettos Gemälde lässt Jupiter seinen unehelichen Sohn heimlich am Busen der schlafenden Göttin Juno trinken, eine Geschichte, die mit der Entstehung der Milchstraße und der Lilie (siehe S. 44) in Verbindung gebracht wird. Inzwischen wendet sich Jupiters impertinenter Adler Junos Wahrzeichen zu, einem passenderweise uninteressierten Pfau.

WICHTIGE KUNSTWERKE

- Reliefplatte mit einer Gottheit mit Adlerkopf (Neo-Assyrisch), ca. 883–859 v. Chr., Metropolitan Museum of Art, New York, USA
- Nicolas Poussin, *Landschaft mit dem heiligen Johannes auf Patmos*, 1640, The Art Institute of Chicago, USA
- Jacques-Louis David, *Verteilung der Adler*, 1810, Château de Versailles, Frankreich
- Robert Rauschenberg, *Canyon*, 1959, Museum of Modern Art (MoMA), New York, USA

EULE

Als Vogel der Nacht bringt man die Eule mit Dunkelheit und Tod in der Ikonografie der Maori, Babylonier, Chinesen, Japaner und Hindus in Verbindung. Darum ist sie der einzige Vogel in diesem Kapitel mit so vielen negativen Assoziationen, ganz im Gegensatz zum königlichen Adler, der friedlichen Taube, dem adligen Kranich und dem agilen Falken. Eine antike mesopotamische Skulptur im British Museum, bekannt als das *Burney-Relief* (ca. 1800–1750 v. Chr.), ist ein sehr frühes Beispiel für die Verbindung zum Düsteren, denn es zeigt eine chthonische Göttin mit ihren Eulen. In anderem Kontext gelten Eulen jedoch als weise, zum Beispiel mit Göttin Athene/Minerva, der griechisch-römischen Göttin der Kriegsführung und des Lernens. In der Kunst der Renaissance sind Eulen die Allegorie des Schlafes, z. B. in Michelangelos *Die Nacht*, 1526–1531, in der neuen

Rembrandt van Rijn
Pallas Athene, 1667
Öl auf Leinwand,
118 cm x 91 cm
Calouste Gulbenkian
Museum, Lissabon

Rembrandts *Pallas Athena*, gemalt in Holland, verwendet typische Attribute der Göttin, darunter das Schild mit dem Medusa-Kopf und eine goldene Eule oben auf ihrem Helm.

Sakristei der Basilica di San Lorenzo in Florenz, wo eine Eule neben einschläfernden Mohnsamen zu sehen ist.

Der präkolumbianische Stock-Knauf in Form einer Eule wurde im Gebiet des heutigen Kolumbien geschaffen und besteht aus reinem Gold, was als »Schweiß der Sonne« galt, und obwohl relativ wenig über die Zenú-Ikonografie bekannt ist, wurde die Eule wahrscheinlich als göttliche Kreatur geehrt. Möglicherweise gehört der Stock oder Stab mit dem Eulenknauf einem Priester oder Stammesältesten mit gottgleicher Macht. Im Gegensatz zu den anderen präkolumbianischen Zivilisationen stellten die Zenú Tiere als gutmütig und schützend dar statt als grausame oder rachsüchtige Wesen.

WICHTIGE KUNSTWERKE

- *Burney-Relief* (Mesopotamien, jetzt Irak), 1800–1750 v. Chr., British Museum, London, Großbritannien
- Tetradrachmen-Münze mit Eule der Athene auf der Rückseite (griechisch), 594–527 v. Chr., British Museum, London, Großbritannien
- Francisco de Goya, *Der Schlaf der Vernunft gebiert Ungeheuer* (Nr. 43), aus *Los Caprichos*, 1799, Drucke in The Nelson-Atkins Museum of Art, Kansas City, USA u. a. Sammlungen weltweit
- Paul Nash, *Totes Meer (Dead Sea)*, 1940–1941, Tate, London, Großbritannien

Unbekannter Künstler
Eule als Stock-Knauf
(Zenú), 1–1000 n. Chr.
Gold, 12,1 cm x
6,7 cm x 4,5 cm
Metropolitan Museum
of Art, New York

Die Eule auf der Spitze dieses zeremoniellen Stabes könnte ein Statussymbol eines Zenú-Priesters oder Stammesältesten sein.

PFAU

Pfauen sind in Indien, China und Persien gleichbedeutend mit dem Königtum und werden zuweilen als Reittier von Brahma, Buddha und des Hindu-Kriegsgottes Kartikeya/Skanda abgebildet. Die natürliche Grazie und die schillernden Farben des Pfaus machten ihn in Asien und Europa zum Schönheitssymbol. Häufig steht der Pfau im Mittelpunkt eines Kunstwerks, wie hier bei Imazu Tatsuyukis *Pfauen und Kirschbaum*. In Japan sind Pfauen durch ihre Assoziation mit buddhistischen Gottheiten ein Symbol für Glück, wegen ihrer zahllosen »Augen« auf dem Federkleid gelten sie als Wahrzeichen von Fruchtbarkeit und Reichtum. Weil sie Schlangen fressen, werden Pfauen zudem als Beschützer betrachtet.

In der griechisch-römischen Mythologie war der königliche Pfau das Wahrzeichen der obersten Göttin Hera/Juno. In der Erzählung wurde dem Vogel das typische Federkleid geschenkt, nachdem sein Diener verstorben war, der 100-äugige Gigant Argus. Peter Paul Rubens' Porträt von Maria de' Medici und Heinrich IV. von Frankreich würdigt beide durch die Assoziation mit hohen klassischen Gottheiten: Der Adler von Zeus/Jupiter ist links oben in der Ecke zu sehen, als Kontrapunkt dazu der Pfau von Hera/Juno in der rechten unteren Ecke.

Imazu Tatsuyuki
Pfauen und Kirschbaum,
ca. 1925
Faltschirm in zwei
Teilen; mineralische
Farben und Metallpuder
auf Papier,
203,5 cm x 185 cm
Metropolitan Museum
of Art, New York

**Tatsuyuki zeigt einen
weiblichen Pfau, der
die opulenten Muster
des Hahns auf diesem
Schirm bewundert.**

Peter Paul Rubens
Heinrich IV. empfängt das Bildnis der Maria de' Medici, 1622–1625
Öl auf Leinwand,
394 cm x 295 cm
Louvre, Paris

Rubens verwendet die konventionellen Wahrzeichen, um die Götter in seinem Gemälde zu kennzeichnen: einen aktiven Adler mit Blitz für Zeus/Jupiter und einen schönen, doch passiven Pfau für Hera/Juno.

In der christlichen Ikonografie wurden Pfauen mit Unsterblichkeit verbunden, denn angeblich sollte ihr Fleisch nicht verrotten, außerdem mit Wiederauferstehung, weil ihre Federn nachwachsen. Außerdem waren sie ein Symbol für den Himmel, denn die »Augen« auf ihrem Federkleid sollten die Sterne widerspiegeln. Aufgrund dieser Symbolik wurden Pfauen in Gemälde wie *Die Bewunderung des Magi* von Fra Angelico und Fra Filippo Lippi aufgenommen.

WICHTIGE KUNSTWERKE

- *Skanda auf seinem Pfau*, 7. Jh. n. Chr., Musée National de Arts Asiatiques-Guimet, Paris, Frankreich
- Fra Angelico und Fra Filippo Lippi, *Die Bewunderung des Magi*, ca. 1440–1460, National Gallery of Art, Washington, USA
- Carlo Crivelli, *Annunciation with St Emidius*, 1486, National Gallery, London, Großbritannien
- William Morris, *Pfau und Drache*, Vorhänge, 1878, Victoria and Albert Museum, London, Großbritannien

PHÖNIX

Ein Phönix ist eine mythologische Figur, die angeblich 500 Jahre alt wird, sich dann selbst verbrennt, um aus ihrer eigenen Asche wieder zu erstehen. Ein Phönix ist auch einzigartig, denn es gibt immer nur einen gleichzeitig auf der Erde. Der Begriff stammt aus dem Griechisch-Römischen, verschiedene Kulturen verwenden für ähnliche Kreaturen andere Begriffe. Bei den Alten Ägyptern heißt er *Bennu*, *Feng Huang* in China und *Si-murg* in Persien. In China symbolisierte der Phönix einen mildtätigen Herrscher und war das Symbol der Kaiserin, während der Drache den Kaiser symbolisierte. Außerdem galt der Phönix in China als einer der vier Wächter des Universums, neben dem Drachen, dem Einhorn und der Schildkröte. Seine Selbsterneuerung machte ihn zur visuellen Metapher für Verjüngung, sozusagen das tierische Äquivalent zu Wasser und Zypressen in Sachen Langlebigkeit.

Die Verbindung zur Erneuerung ist in der christlichen Ikonografie klar, wo Phönixe mit der Wiederauferstehung Jesu Christi assoziiert werden. In diesem Kontext erscheint der Phönix auf der Fassade der St. Paul's Cathedral in London neben der lateinischen Inschrift »RESURGAM«, »Ich werde mich wieder erheben«. Die Kathedrale steht an derselben Stelle wie ihre Vorgängerin, die dem Großen Brand von London 1666 zum Opfer fiel. Das Feuer war in einer Bäckerei ausgebrochen und hatte sich schnell in der ganzen Stadt ausgebreitet, wobei vier Fünftel der Gebäude zerstört wurden. Für die meisten Londoner war das eine Katastrophe, für den Architekten Christopher Wren ergab sich jedoch eine Chance, denn er beaufsichtigte den Wiederaufbau von St Paul's und 51 weiterer Kirchen in der City of London. Nach einer Bauzeit von nur 36 Jahren war die Kathedrale bereits fertiggestellt.

Caius Gabriel Cibber
Resurgam,
Phönix-Skulptur,
1675–1711
Portland-Stein
St. Paul's Cathedral,
London

Das ideale Symbol für das Süd-Pediment der St.-Paul's-Kathedrale war ein Phönix, um so die schnelle Verjüngung Londons und die Unbezähmbarkeit des christlichen (vor allem protestantischen) Glaubens darzustellen, nachdem die Vorgängerin der Kathedrale im Großen Brand von 1666 zerstört worden war.

WICHIGE KUNSTWERKE

- *Phoenix*, aus *The Aberdeen Bestiary*, 12. Jh., University of Aberdeen, Schottland
- Kachel mit Bildnis des Phönix (Persien), spätes 13. Jh., Metropolitan Museum of Art, New York, USA
- *Tafel mit Phönixen und Blumen* (China), 14. Jh., Metropolitan Museum of Art, New York, USA
- James Gillray, *Napoléon Bonaparte*, 1808, National Portrait Gallery, London, Großbritannien

FALKE

Falken sind synonym mit den gesellschaftlichen Eliten in Europa und Asien und in vielen Porträts zu finden, um einer Persönlichkeit Würde zu verleihen, wie in *Prinz mit einem Falken*, der in Indien gemalt wurde. Vögel sind hier das vorherrschende Symbol, nicht nur der Falke, zu dem der Prinz respektvoll aufblickt. Das großartige gelbe Gewand des Mannes ist oberhalb des Gürtels mit majestätischen Vögeln übersät, darunter Kraniche und Phönixe. Die Falknerei war der Sport der Reichen und Mächtigen: Im 13. Jahrhundert beobachtete Marco Polo, wie der mongolische Kaiser Kublai Khan mit einem Gefolge von 70.000 Mann zur Raubvogeljagd zog. Darum wurden Falken mit Führungskraft und Prestige assoziiert. Doch die tierischen Eigenschaften der Falken – ihre Fähigkeit, hoch zu fliegen, sich wendig zu bewegen und gut sehen zu können – machte sie zum Symbol eines edlen Geistes. In Japan und China verwendet man dasselbe Wort für Falke und für »Held«.

Unbekannter Künstler
Prinz mit einem Falken
(Indien), ca. 1600–1605
Deckende Wasserfarbe,
Gold und Tusche auf Papier,
14,9 cm x 9,5 cm
Los Angeles County
Museum of Art,
Los Angeles

Der Falke steht im Mittelpunkt dieses kleinen Bildes, was seinen hohen Status als Besitztum der führenden Klasse kennzeichnet. Die Reaktion des Prinzen spricht Bände: Sein Blick und seine Geste verraten, dass es sich hier nicht um ein gewöhnliches Haustier handelt.

Im Alten Ägypten sind Falken von höchster Bedeutung, denn sie werden mit dem Gottkönig Horus in Verbindung gebracht, der wechselweise als Falke oder als Kopf eines Falken dargestellt werden konnte. Doch sie werden auch mit anderen Göttern assoziiert, mit Re, Montu, Chonsu und Sokar. Tatsächlich enthalten die Hieroglyphen für Falke den Begriff »Gott«.

Der ägyptische Halsschmuck (unten) zeigt mittig zwei Falken. Er wurde aus Gold und 372 fein geschnittenen Elementen aus Karneol, Lapislazuli, Türkis und Granat gefertigt. Er ist etwas kleiner als eine Kreditkarte und wurde vermutlich von einer Prinzessin an einer Kette getragen.

Unbekannter Künstler
Anhänger ohne Kette
(Ägypten),
ca. 1887–1878 v. Chr.
Gold, Karneol, Feldspat,
Granat, Türkis und
Lapislazuli,
4,5 cm x 8,2 cm
Metropolitan Museum of
Art, New York

**In der Mitte dieses
Schmuckstücks symbolisieren die Krone von
Pharaoh Senwosret II.
und die Falken die Unterstützung der Götter für
diesen Herrscher.**

WICHTIGE KUNSTWERKE

- *Falke mit Rams Kopf,* Amulett (Ägypten), ca. 1550–1069 v. Chr., Louvre, Paris, Frankreich
- *Das Bad des Falken,* Wandteppich, ca. 1400–1415, Niederlande, Metropolitan Museum of Art, New York, USA
- Pinturicchio, *Penelope with the Suitors,* ca. 1509, National Gallery, London, Großbritannien
- Jahangir-Album, 1589, Staatsbibliothek, Berlin

KRANICH

In China und Japan ist der Kranich ein wiederkehrendes religiöses, poetisches und künstlerisches Motiv. Kraniche sind von Natur aus schlank und zeigen ihre Grazie besonders in den Balztänzen, außerdem können sie sehr hoch in den Himmel fliegen. Sie gelten als Symbole der Eleganz, des Aufstiegs, der spirituellen Erleuchtung, persönlichen Strebens und (wie der Phönix) der Langlebigkeit. Als Wahrzeichen des Letzteren sind sie in der chinesischen Kunst häufig in Kombination mit Pinien und Schildkröten zu sehen, die ebenfalls als Symbole der Ausdauer gelten. Als hoch fliegende Vögel sagte man ihnen nach, sie könnten die Toten in den Himmel begleiten und als Botschafter der Götter agieren.

Porträt eines kaiserlichen Zensors und seiner Frau aus der Qing-Dynastie in China enthält mehrere Symbole, darunter die Geschöpfe der Mythologie auf den höfischen Uniformen des Paares, die signalisieren, dass der Mann eine hoch ehrenhafte Position als chinesischer Beamter innehat. Die glückverheißenden Symbole in der Szene deuten den Wunsch des Paares nach einem langen erfolgreichen Leben an: der überhängende Pinienbaum in Kombination mit dem Paar Kraniche im Vordergrund.

In Europa wird der Kranich manchmal als Zeichen der Dienstfertigkeit und Aufmerksamkeit verwendet. Man glaubte, in einer Gruppe von Kranichen könne einer immer Wache halten; dieser würde einen Stein in der Kralle halten, der herausfallen würde, sobald er einschliefe, sodass der Kranich von dem Geräusch wieder aufwachte. Die ist ein verbreitetes Motiv in der Heraldik.

Origami-Kraniche sind in Japan ein Symbol des Friedens. Dies ist auf die Geschichte von Sadako Sasaki zurückzuführen, die zwei Jahre alt war, als die Atombombe 1945 Hiroshima traf. Das Mädchen wurde starker Strahlung ausgesetzt, erkrankte an Leukämie und starb schließlich im Alter von 12 Jahren. In den letzten Monaten ihres Lebens faltete sie 1.000 Origami-Kraniche, denn ihr Vater hatte ihr erzählt, das sich damit ein Wunsch erfüllen würde.

Unbekannter Künstler
Porträt eines kaiserliches Zensors und seiner Frau, spätes 18. bis frühes 19. Jahrhundert
Rollbild; Tusche und Farbe auf Seide, Bild: 163,8 cm x 98,7 cm
Metropolitan Museum of Art, New York

In China ist der Kranich ein gutes Omen, das Glück verheißt. Dem Kranich war ein langes Leben vorhergesagt, und die Tatsache, dass er im Frühling zurückkehrte, verband man mit der Wiederauferstehung.

WICHTIGE KUNSTWERKE

- Dem Kaiser von Huizong zugeschrieben, *Zurückkehrende Kraniche*, ca. 1112, Museum der Provinz Liaoning, Shenyang, China
- *Kraniche*, Seite aus Edward Harleys *Bestiary*, 13. Jh., British Library, Großbritannien
- Domenico Beccafumi, *Venus und Amor,* ca. 1530, New Orleans Museum of Art, New Orleans, USA
- Sadako Sasaki, *Papierkraniche*, 1955, Friedensmuseum, Hiroshima, Japan

TIERE

-

**Das Symbol ist ein Schlüssel zu einem Reich,
das größer ist als es selbst und größer
als der Mensch, der es gebraucht.**

-

J. C. Cooper
1978

KATZE

Die Katze, die in *Erwachendes Gewissen* unter dem Tisch mit einem verwundeten Vogel spielt, ist das wichtigste der vielen diskret versteckten Symbole in diesem Gemälde, weil es im Kleinen dessen Bedeutung enthüllt. Wir befinden uns in einem modisch eingerichteten Wohnzimmer, wo ein unverheiratetes Paar einen intimen Augenblick erlebt: eine moderne Szenerie für eine uralte Sünde. In einer für die Konventionen solcher Bilder überraschenden Wendung trägt jedoch die Frau die Verantwortung für ihr eigenes Schicksal. Als sie sich ihres Fehlers bewusst wird, steht sie auf und entfernt sich von ihrem Liebhaber. Es ist, als würde sie die Schönheit und Einfachheit wie zum ersten Mal sehen, verkörpert im Sattgrün des Gartens, den wir in dem großen Spiegel im Hintergrund erkennen. Die Katze ist ein Ausdruck der treulosen Absichten des Mannes.

Nachdem *Erwachendes Gewissen* 1854 in der Royal Academy ausgestellt worden war, schrieb der anerkannte Kunstkritiker John Ruskin irritiert an die *Times*, dass die meisten Menschen, die das Gemälde gesehen hatten, nicht in der Lage gewesen seien, dessen versteckte Symbole zu verstehen. Pflichtbewusst erläuterte er einige davon, darunter die Katze, die Tapete mit den Vögeln, die das Korn abfressen, während der Liebesgott Cupido schläft, und die weißen Gartenblumen, die das Verlangen der Frau nach Reinheit verkörpern. Hunts Charakterisierung der Katze als irrer Schurke ist in der westlichen Kunst nicht ungewöhnlich: Katzen wurden häufig mit teuflischen Spielereien, Hexen und Unglück assoziiert. In

William Holman Hunt
Erwachendes Gewissen,
1853
Öl auf Leinwand,
76 cm x 56 cm
Tate, London

Hunt stellte dies zur selben Zeit in der Royal Academy aus wie sein *Das Licht der Welt*, in dem dargestellt wird, wie Christus an eine geschlossene Tür klopft. Gemeinsam repräsentieren sie Aspekte der christlichen Moral. Symbole waren ein wichtiger Bestandteil der Kommunikationsmethode von Hunt.

Unbekannter Künstler
Katzen-Statuette,
332–330 v. Chr.
Bleibronze, 32 cm x
11,9 cm x 23,3 cm
Metropolitan Museum
of Art, New York

**In ägyptischen Tempeln
der Göttin Bastet wurden
ausgesprochen viele
solcher Katzen-Statuetten
gefunden. Jede
sollte eine mumifizierte
Katze aufnehmen. Ein
kleines Loch im rechten
Ohr zeigt, dass sie einst
einen goldenen Ohrring
trug.**

Domenico Ghirlandaios *Letztem Abendmahl* (1480) aus dem Kloster San Marco in Florenz ist zum Beispiel neben Judas eine Katze zu sehen, die dessen böses Wesen betonen soll. Katzen werden in der Bibel nicht einmal erwähnt.

In anderen Kulturen werden Katzen nicht so geschmäht. In China verbindet man sie mit Heilung und Wahrsagerei (obwohl es Legenden gibt, in denen Katzendämonen ihren Opfern deren Reichtum rauben). Im alten Ägypten besaßen sie besonderes Ansehen und wurden als Gottheiten verehrt. Die wichtigste Katzengöttin war Bastet, die als mütterliche Beschützerin angebetet und oft dargestellt wurde, wie sie Apophis tötet, eine unterweltliche Schlangengottheit. Man glaubt, dass die Domestizierung der Katze zuerst im Alten Ägypten (und dem fruchtbaren Halbmond) geschah und ihre Nützlichkeit als Vertilger von Schädlingen zu ihrer Verehrung als Wächter gegen das Chaos führte. Die *Katzen-Statuette* war wahrscheinlich der Behälter einer mumifizierten Hauskatze, die eine Familie in einem der Tempel der Bastet als Opfer darbrachte. Vermutlich trug sie einst echten Schmuck sowie ein Halsband mit einem Horusauge.

WICHTIGE KUNSTWERKE

- *Katze mit Wachtel*, Mosaik, ca. 2 n. Chr., Archäologisches Nationalmuseum Neapel, Italien
- Hendrick Goltzius, *Der Sündenfall (The Fall of Man)*, 1616, National Gallery, Washington, USA
- Édouard Manet, *Olympia*, 1863, Musée d'Orsay, Paris, Frankreich
- Théophile Steinlen, *Le Chat Noir*, 1896, Van Gogh Museum, Amsterdam, Niederlande

HIRSCH

Hirsche werden ebenso wie Kraniche in der Kunst als himmlische und mystische Kreaturen dargestellt. In Japan verehrte man sie bereits in prähistorischer Zeit, wie der *Hirsch, der einen geheiligten Spiegel der Fünf Kasuga Honji-Butsui trägt* mit seinem Podest aus überirdischen Wolken beweist. Die Skulptur entstand als Opfergabe für den Kasuga-Schrein im südjapanischen Nara. In der Nähe des Schreins liegt der Berg Mikasa. Der Legende nach ritt der Gott Takemikazuchi-no-Mikoto mit einem himmlischen Hirsch auf den Berg. Die echten Hirsche im Park rund um den Kasuga-Schrein gelten als göttliche Kreaturen und dürfen frei herumlaufen. In dieser Skulptur gibt es verschiedene heilige Objekte, darunter einen Sakaki-Baum (Sperrstrauch) und einen Spiegel mit fünf buddhistischen Versionen von Shinto-Göttern. Der Buddhismus kam im 9. Jahrhundert von China nach Japan, und hier zeigen sich importierte Glaubensformen neben einheimischen.

In den griechisch-römischen Mythen sind Hirsche entweder anmutige Begleiter oder elegante Opfer mächtiger Besitzer. Das Attribut der Jagdgöttin Artemis/Diana ist ein Hirsch. Sie rächt sich an Aktaion, weil er sie beim Baden beobachtet hat, indem sie ihn in einen Hirsch verwandelt und von seinen eigenen Hunden zerreißen lässt. Auch Aphrodite/Venus, Athene/Minerva und Apollo werden in ihren Rollen als Jäger verschiedentlich mit dem Hirsch assoziiert.

Unbekannter Künstler
Hirsch, der einen geheiligten Spiegel der Fünf Kasuga Honji-Butsu trägt,
ca. 14. Jahrhundert
Goldbronze, 116 cm
Hosomi Museum, Osaka

Als Kunstwerk strahlt diese Skulptur eine erstaunliche Präsenz aus: Die anatomische Exaktheit ist das Ergebnis einer tiefen Hingabe des Skulptors an die Natur, inspiriert durch die Religion.

In *Gibbons und Hirsche* (unten) haben die Tiere in der Szene eine ganz andere Funktion als in den meisten anderen Beispielen dieses Buches. Das Gemälde stellt ein Rebus dar, ein Rätsel, in dem verschiedene Bilder ein Wort oder einen Satz formen, wenn man sie laut ausspricht. Auf Chinesisch klingen das Wort für »Gibbons« genauso wie »erste« und das Wort für »Hirsche« genauso wie »Macht«. Das Bild ist also eine Nachricht, die dem Empfänger Glück bei seinen Beamtenprüfungen wünscht, bei denen ein erster Platz Reichtum und Autorität verspricht.

Unbekannter Künstler
Gibbons und Hirsche
(China), 1127–1279
Albumblatt; Tusche und
Farbe auf Seide,
17,8 cm x 22,2 cm
Metropolitan Museum
of Art, New York

Die Tiere in diesem chinesischen Manuskript sind streng genommen keine Symbole, sondern bilden ein Rätsel mit einer bestimmten Bedeutung.

WICHTIGE KUNSTWERKE

- Höhlenmalerei eines Megaloceros (Riesenhirsch), ca. 16.000–14.000 v. Chr., Lascaux, Frankreich
- Pisanello, *Vision des heiligen Eustachius*, ca. 1438–1442, National Gallery, London, Großbritannien
- Tizian, *Tod des Actaeon*, ca. 1559–1575, National Gallery, London, Großbritannien
- Frida Kahlo, *The Wounded Deer*, 1946, Carolyn Farb Collection, Houston, USA

HUND

Die moderne Einstellung zu Hunden entspricht der der antiken Griechen und Römer. Damals wie heute waren Hunde hochgeschätzt – aber in gewisser Weise ganz anders als die anderen Tiere in diesem Buch: Sie waren Besitztümer. Daher findet man sie in der Kunst als geliebte und treue Haustiere, Beschützer des Eigentums und aufgrund ihres guten Gesichts- und Geruchssinnes als ausgezeichnete Begleiter auf der Jagd. Dies steht in krassem Gegensatz zur Haltung der alten Griechen gegenüber der Katze, die weder als Haustier gehalten noch einer Wertschätzung würdig befunden wurde. In der Mythologie gibt es verschiedene Hundehalter wie Orion und Artemis/Diana. Hunden wurde Intelligenz zugeschrieben, eine Eigenschaft, die Platon besonders lobte, und sie galten als einfühlsame und treue Kreaturen, die menschliche Eigenschaften zeigen konnten. Viele Hundebesitzer, darunter auch der homerische Held Odysseus, gaben ihren Tieren menschliche Namen.

Hunde wurden manchmal mit Magie und Heilen assoziiert, da man glaubte, ihr Lecken könne Geschwüre heilen. Asklepios, der griechische Gott der Heilkunst, wurde manchmal mit einem Hund als Begleiter dargestellt. Man glaubte, dass ein treuer Hund seinen Besitzer selbst nach dem Tod begleiten würde, und es gibt in Griechenland bereits aus der Eisenzeit Belege, dass Hunde gemeinsam mit ihren Besitzern beerdigt wurden. Grabskulpturen aus späteren Perioden der griechischen Geschichte zeigen manchmal den geliebten Hund, und in der griechisch-römischen Mythologie war der Wächter der Unterwelt ein dreiköpfiger Hund namens Kerberos. Diese Vorstellungen stammten aus früheren Religionen des Nahen Ostens: Die altbabylonische Heilergöttin Gula wurden von einem Hund begleitet und nahm selbst manchmal die Gestalt eines Hundes an. Zoroastrier nahmen derweil den Glauben der Griechen vorweg, dass Hunde die Begleiter in das Jenseits seien, und der ägyptische Gott Anubis bewachte und richtete die Seelen der Toten.

Allerdings wurden Hunde niemals nur ausschließlich positiv gesehen, sondern manchmal etwa von Philosophen wie Aristoteles als ausgestoßen und verkommen betrachtet. Zumindest im Nahen

Paolo Veronese
Glücklicher Bund aus den
Allegorien der Liebe,
ca. 1575
Öl auf Leinwand,
187,4 cm x 186,7 cm
National Gallery, London

In der unteren rechten
Ecke beginnt ein Putto
damit, die goldene Kette
des Ehestands um das
Paar zu schlingen, wäh-
rend neben ihm ein Hund
sitzt. Wie die Hunde in
zahllosen europäischen
Abbildungen von Paaren
davor und danach ist der
Hund in diesem Bild das
Symbol der ehelichen
Treue.

Osten galten sie als Parias. Dies spiegelt sich in der Einstellung der Bibel zu Hunden, die im Allgemeinen negativ ist. In der Offenbarung (22:15) werden sie zu den Unreinen und von Gott Verlassenen gezählt: »Draußen sind die Hunde und die Zauberer und die Unzüchtigen und die Mörder und die Götzendiener und alle, die die Lüge lieben und tun.« Hunde können also Symbole der höchsten und der niedrigsten Lebensformen sein.

Veroneses *Glücklicher Bund* – wahrscheinlich um 1575 in Venedig gemalt – zeigt einen Hund in seiner positiveren Erscheinung als Symbol der Treue. Das Bild ist Teil einer Serie aus vier Gemälden mit dem Titel *Allegorien der Liebe*, die vermutlich Allegorien der vier Spielarten des Liebeserlebens zeigen soll: *Untreue*, *Verachtung*, *Respekt* und *Glücklicher Bund*. Alle nutzen die Ikonografie der Emblembücher der Renaissance, das sogenannte *Emblemata*. In Andrea Alciatos Version von 1531 enthält das Emblem der »Treue zu einer Frau« einen Welpen zu Füßen des Paares – greift also wieder die griechisch-römische Auffassung des Hundes als Symbol der Treue auf.

Veronese hatte beim Malen des *Glücklichen Bundes* ganz eindeutig ein *Emblemata* konsultiert, da es eine ganze Reihe allegorischer Motive enthält. Es scheint das Ideal der Ehe als würdevolles und glückverheißendes Abkommen zu repräsentieren: Die Figur der *Fortuna* (Glück, Schicksal) leitet den Vorgang. Sie sitzt auf einer Kugel, die die Welt darstellen soll, neben sich ein Füllhorn. Sie krönt das hingebungsvolle Paar mit einer Myrtenkrone (Glück) und reicht ihnen einen Olivenzweig (Frieden).

Für Veronese, der am realen Leben ebenso interessiert war wie an den Abstraktionen der Ikonografie, war der Hund mehr als ein Emblem: Dieser verhält sich nämlich wirklich wie ein echter Hund und starrt den geehrten Olivenzweig an, als sei er einfach nur ein Stöckchen zum Werfen und Zurückholen.

WICHTIGE KUNSTWERKE

- *Mechanischer Hund* (Ägypten), ca. 1390–1353 v. Chr., Metropolitan Museum of Art, New York, USA
- Piero di Cosimo, *Der Tod der Prokris*, ca. 1495, National Gallery, London, Großbritannien
- *Xolotl* (Azteken), aus dem Codex Borgia, S. 65, ca. 1500, Vatikanische Sammlungen, Vatikanstadt
- Sir Anthonis van Dyck, *The Five Eldest Children of Charles I*, 1637, Royal Collection, Großbritannien

Unbekannter Künstler
Cave Canem (*Hüte dich vor dem Hund*),
1. Jahrhundert v. Chr.
Mosaik, 70 cm x 70 cm
Archäologisches
Nationalmuseum, Neapel

Nicht in allen Gesellschaften ist man Hunden zugetan, doch die Römer hielten sie als Haustiere, behandelten sie als Familienmitglieder und nutzten sie als Wächter des Hauses. Dieses Mosaik entstand für den Fußboden des Eingangs der Casa di Orfeo in Pompeji.

FISCH

Fische spielten neben Muscheln und Wasser in den antiken Religionen von Mesopotamien und Ägypten eine wichtige Rolle als Symbole von Fruchtbarkeit und Regeneration. Auch in der christlichen Bibel sind sie ausgesprochen wichtig. Am berühmtesten ist vermutlich die Geschichte von den Brotlaiben und den Fischen, sie stehen aber auch mit der Zeremonie der Taufe in Verbindung. Das *Ichthys*-Symbol wurde deshalb zum Zeichen für Christen.

Die fantastische und unheilvolle Geschichte von *Jona und dem Wal* verbindet Fisch und Wiedergeburt ebenfalls. Die Geschichte findet sich in der hebräischen Bibel, dem christlichen Alten Testament sowie im Koran. Es heißt, Jona sei von einem riesigen Fisch verschlungen worden (manchmal ist von einem »Wal« die Rede), nachdem er das Wort Gottes missachtet habe. Drei Tage und drei Nächte überlebte Jona in dem Fisch, bevor Gott seine Gebete um Vergebung erhörte und der Fisch ihn an Land spie. Dies wird meist als Geschichte von Erlösung und spiritueller Erneuerung interpretiert: Jona wird zu einem treuen Diener Gottes. Auf Jonas Armen prangen die Worte »Die Scheibe der Sonne versank in der Dunkelheit, Jona ging in das Maul eines Fisches« wie eine Tätowierung. Die erzählerischen Einzelheiten aus *Jona und der Wal* stammen wahrscheinlich aus einer Weltgeschichte, die als

Unbekannter Künstler
Jona und der Wal, Folio aus dem *Dschami' at-tawarich* (Sammlung von Chroniken), ca. 1400 Tusche, deckende Wasserfarbe und Gold, 33,7 cm x 49,5 cm Metropolitan Museum of Art, New York

In diesem Bild ist Jona der dankbare Empfänger von Kleidungsstücken, die der von oben hereinschwebende Engel ihm reicht.

Dschami' at-tawarich bekannt ist, geschrieben von Raschid ad-Din Hamadani, einem Gelehrten am Hof der Ilchane in Täbris (heute im Iran). Ihre stilistischen Eigenarten lassen allerdings internationale Einflüsse vermuten. Jonas Fisch wird als Karpfen dargestellt, der ein in China beliebtes Emblem ist (wo er mit Reichtum und Beständigkeit assoziiert wird), genau wie die Drachen und Phönixe, die zu dieser Zeit ebenfalls in der persischen Kunst auftauchen. Auf den Handelswegen durch Eurasien wurden mehr als nur Waren transportiert – auch die Sprache der Symbole wanderte durch die Welt.

WICHTIGE KUNSTWERKE

- *Das Adda-Siegel* (Mesopotamien), Schmuckstein, 2300 v. Chr., British Museum, London, Großbritannien
- Masaccio, *Der Zinsgroschen*, ca. 1424–1427, Brancacci-Kapelle, Santa Maria del Carmine, Florenz, Italien
- Diego Velázquez, *Christus im Hause von Maria und Martha*, vermutlich 1618, National Gallery, London, Großbritannien
- Gong Gu, *Karpfen* (China), 19. Jahrhundert, Metropolitan Museum of Art, New York, USA

LÖWE

Unbekannter Künstler
Löwenkapitell, Ashoka-
Säule in Sarnath,
ca. 250 v. Chr.
Polierter Sandstein,
210 cm x 283 cm
Archäologisches Museum
Sarnath, nahe Varanasi

**Die Löwenmäuler sind
geöffnet, um die Ver-
breitung der Vier Edlen
Wahrheiten des Buddha
in die vier Himmelsrich-
tungen darzustellen.**

Der Löwe dient in der Geschichte vor allem als Wächter und Symbol der Macht. An den Eingängen der Tempel in Mesopotamien und Ägypten standen Löwenskulpturen und König Assurbanipal von Assyrien ließ große Reliefs fertigen, die ihn auf der Löwenjagd zeigten (siehe *Löwenjagd* auf S. 140). Löwen sind in der Ikonografie vieler Glaubensrichtungen unerlässlich, etwa in der antiken Religion des Mithraismus, und treten im Hinduismus oft als rachsüchtige Kreaturen auf. Auch in der Bibel werden Löwen häufig erwähnt und dienen als Attribute zahlreicher Heiliger, z. B. des Evangelisten Markus. Ein wichtiges Motiv sind sie in der visuellen Kunst des Buddhismus, wie das Löwenkapitell der Ashoka-Säule beweist. Die Ausbreitung dieser Religion im Laufe des ersten Jahrtausends n. Chr. brachte das Löwenmotiv nach Osten in die chinesische Bilderwelt, von wo es in zunehmend stilisierter Form in den Rest Ostasiens vordrang.

Das *Löwenkapitell der Ashoka-Säule* stammt aus Sarnath in Indien, wo Buddha in einem Wildpark in seiner ersten Predigt die Vier Edlen Wahrheiten verkündete, die er während seiner Meditation erkannt hatte: die Wahrheit über das Leiden, die Wahrheit über die Ursache des Leidens, die Wahrheit über die Beendigung des Leidens und die Wahrheit über den Pfad der Ausübung, der zur Beendigung des Leidens führt. Das *Löwenkapitell* saß einst auf der Spitze einer Säule, die Ashoka, der indische Herrscher und buddhistische Konvertit, hatte aufstellen lassen. Es besitzt eine große Bedeutung für die nationale Identität Indiens.

Die vier Löwen sind ein Symbol für Mut und Macht; sie symbolisieren Buddha und könnten auch das Zeichen des Ashoka gewesen sein. Unter den Löwen finden sich weitere Symbole: vier Tiere (Löwe, Ochse, Elefant und Pferd), die die Dharmachakras (die Räder des Dharma) drehen. An der Basis des Kapitells ist eine Lotosblüte zu sehen. Das Kapitell wurde 1950 zum Nationalsymbol von Indien, das Dharma-Rad mit 24 Speichen ist auf der indischen Flagge zu sehen.

WICHTIGE KUNSTWERKE

- Ren Keli, *Der Löwe und sein Hüter* (China), 1480–1500, British Museum, London, Großbritannien
- Albrecht Dürer, *Der heilige Hieronymus im Gehäus*, ca. 1496, National Gallery, London, Großbritannien
- Tizian, *Allegorie der Besonnenheit*, ca. 1550–1565, National Gallery, London, Großbritannien
- Henri Rousseau, *Das Mahl des Löwen*, ca. 1907, Metropolitan Museum of Art, New York, USA

AFFE

In vielen Kulturen der Welt, etwa bei den Azteken, in Japan und China, gelten Affen als Gauner und Symbole des Übermuts. Im Hinduismus ist der Affengott Hanuman ein geschätztes Mitglied des Pantheon, während Affen in der westlichen Kunst oft in einem negativen Licht dargestellt werden, als Allegorien für Nachäfferei, Eitelkeit oder Lust. Ein Beispiel dafür ist die zentrale Szene in Gustav Klimts *Beethovenfries*, in dem ein Affe die niedrigsten und verworfensten der menschlichen Laster verkörpert.

Insgesamt ist der *Beethovenfries* eine Hommage an die höchste der menschlichen Leistungen: die Musik von Ludwig van Beethoven. Es ist eine visuelle Zusammenfassung des Werkes des Komponisten und Teil eines Gesamtkunstwerks, das Architektur, Musik, Malerei und Bildhauerei einbeziehen sollte. Motive aus der Volkskunst und der klassischen Mythologie bildeten eine allegorische Erzählung der menschlichen Reise vom Leiden bis zur Erleuchtung, unter dem

Gustav Klimt
Beethovenfries, 1902
Gold, Graphit und
Kaseinfarbe,
215 cm x 3400 cm
Secessionsgebäude, Wien

Der Affe in Klimts Gemälde sollte die dunklen und bösen Gelüste der menschlichen Seele symbolisieren.

Schutz eines fahrenden Ritters. Als der Fries 1902 in Wien enthüllt wurde, konnten Besucher einen Katalog erwerben, der alle Symbole erklärte, die in dem Gemälde auftauchten. Die zentrale Szene, die verschiedene grundlegende menschliche Instinkte abbildete, die durch den edlen Geist überwunden werden sollten, wurde folgendermaßen erklärt:

> Schmale Wand: Die feindlichen Gewalten. Der Riese Typhoeus, gegen den selbst Götter vergebens kämpften; seine Töchter, die drei Gorgonen. Krankheit, Wahnsinn, Tod. Wollust und Unkeuschheit, Unmäßigkeit. Nagender Kummer. Die Sehnsüchte und Wünsche der Menschen fliegen darüber hinweg ...

Typhoeus ist als riesiger Affe abgebildet, mit den Gorgonen, Tod, Krankheit und Wahnsinn zur Linken und den anderen Figuren zur Rechten. Typhoeus (oder Typhon) war ein Monster aus der griechisch-römischen Mythologie, wurde aber meist als Schlange dargestellt. Klimts Entscheidung für eine affenartige Version war vielleicht eine Reaktion auf die Evolutionslehre von Charles Darwin, die 1859 in *Über die Entstehung der Arten* veröffentlicht wurde, und die Erkenntnis, dass die Grenzen zwischen Mensch und Tier nicht mehr absolut klar waren.

African Adventure war ursprünglich ein Auftrag für eine Installation in der ehemaligen britischen Offiziersmesse in Kapstadt; der Titel stammt von einem südafrikanischen Reisebüro. Das Werk stellt eine verzerrte Reise in die südafrikanische Identität dar. Alexanders Arbeit folgt nicht den ikonografischen Traditionen in Bezug auf Tiere, und ihre desorientierende visuelle Sprache schafft es, die verdrehte Ethik und Dummheit der Kolonial- und Apartheid-Geschichte Südafrikas widerzuspiegeln.

WICHTIGE KUNSTWERKE

- *Redender Hanuman* (Indien), 11. Jahrhundert, Metropolitan Museum of Art, New York, USA
- Paolo Veronese, *Die Familie des Dareios vor Alexander*, 1565–1567, National Gallery, London, Großbritannien
- Frida Kahlo, *Selbstbildnis mit Affen*, 1938, Albright–Knox Art Gallery, Buffalo, New York, USA
- Guerrilla Girls, *Do women have to be naked to get into the Met. Museum?*, 1989, Tate, London, Großbritannien, Poster in Sammlungen auf der ganzen Welt

Jane Alexander
African Adventure,
1999–2002
Verschiedene Medien
und Sand,
ca. 400 cm x 900 cm
Tate, London

In dieser gespiegelten
Welt sind die Bewohner
Mutanten, von denen
Alexander einigen sogar
Namen gegeben hat – zu-
vorderst steht der sinistre
und angriffslustige
affenköpfige »Harbinger«
(»Vorbote«).

SCHLANGE

Bei vielen der Symbole in diesem Buch ändert sich die Bedeutung mit dem Kontext; ein Motiv kann in einer Kultur eine bestimmte Eigenschaft verkörpern und in einer anderen genau das Gegenteil. Das zeigt sich ganz besonders bei der Schlange. An verschiedenen Orten und Zeiten waren Schlangen ein Symbol für Ewigkeit, Unterwelt, Prophezeiung, Gesundheit, Tod, Regeneration, Sünde, Fruchtbarkeit, Schutz, Königtum, Göttlichkeit und Teufel.

Die *Zweiköpfige Schlange* des British Museum ist vermutlich eine Darstellung des aztekischen Schlangengottes Quetzalcoatl. Die Azteken waren fasziniert von Schlangen. Die Tatsache, dass sie regelmäßig ihre Haut abstreiften, ließ an Erneuerung und Fruchtbarkeit denken; dass sie auf der Erde und im Wasser lebten, legte eine mystische, grenzüberschreitende Macht nahe. Ihr hybrides Wesen führte auch zu dem Glauben, dass Quetzalcoatl fliegen könne – er wurde als gefiederte Schlange abgebildet.

Im Christentum gilt die Schlange im Allgemeinen als das Tier, das Eva dazu verleitete, im Garten Eden vom Baum der Erkenntnis zu essen, und ist daher ein Symbol für Sünde und Satan. Ein Plakat von 1900 für Dr. Abreus Sanatorium in Barcelona greift auf dieses Bild zurück, um Syphilis-Kranke zu erreichen. Diese Krankheit war zu dieser Zeit endemisch und konnte nicht erfolgreich behandelt werden. Die *Femme fatale* aus der Anzeige – eine nicht besonders subtile Allegorie auf die sexuell übertragbare Krankheit – überreicht eine Lilie der Reinheit, versteckt jedoch eine Schlange hinter ihrem Fransentuch. Selbst die Buchstaben haben eine Schlangenform.

Unbekannter Künstler
Zweiköpfige Schlange
(Mexiko),
ca. 15.–16. Jahrhundert
Zedrelenholz,
Türkise, Kiefernharz,
Austernschalen, Hämatit
und Kopal,
20,5 cm x 43,3 cm x
6,5 cm
British Museum, London

Die winzigen Stücke aus konischen, mosaikartig ausgelegten Türkisen auf der *Zweiköpfigen Schlange* wurden poliert, um die Farbe des Himmels sowie das Aussehen von Schuppen zu imitieren. Möglicherweise wurde sie von einem Priester oder Herrscher als Brustschmuck getragen.

WICHTIGE KUNSTWERKE

- Athanadoros, Hagesandros und Polydoros von Rhodes, *Laokoon und seine Söhne*, frühes 1. Jahrhundert, Vatikanische Museen, Vatikanstadt
- Lucas Cranach der Ältere, *Adam und Eva*, 1526, The Courtauld Gallery, London, Großbritannien
- Caravaggio, *Medusa*, 1597, Uffizien, Florenz, Italien
- Giovanni Battista Tiepolo, *Die unbefleckte Empfängnis*, 1767–1769, Prado, Madrid, Spanien

R. Casas
Anzeige für Dr. Abreus
Sanatorium für Syphilis-
Kranke in Barcelona,
ca. 1900
Farblithografie,
66,3 cm x 28,2 cm
Wellcome Collection,
London

Schlangen dienen in der christlichen Kunst häufig als Symbole des Bösen. Hier wird sie in einem anderen Kontext genutzt, um auf die Bösartigkeit der sexuell übertragbaren Krankheit hinzuweisen.

PFERD

Man vermutet, dass Pferde irgendwann zwischen 4500 und
3500 v. Chr. in den Steppen der Ukraine und Kasachstans vom
Menschen domestiziert wurden. Die Fähigkeit, auf dem Pferd zu
reiten, revolutionierte die Möglichkeit der Menschen, schnell zu
reisen, Vieh zu halten, Waren zu transportieren, zu jagen und zu
kämpfen. Dies trug vermutlich zum Prestige und der symbolischen
Macht des Pferdes in der Kunst bei. Halbgöttliche Rösser findet
man im Rigveda (einem indischen Buch von etwa 1500 v. Chr. mit
den ältesten Aufzeichnungen religiöser Geschichten), und Pferde
wurden in vielen nachfolgenden Mythologien verehrt, darunter denen der keltischen, nordischen und griechisch-römischen Kulturen.
Sie werden seitdem mit einem hohen sozialen Status, Kampfesmut
und sportlichem Triumph gleichgesetzt.

1800 führte Napoleon Bonaparte, kurz zuvor eingesetzter Erster
Konsul Frankreichs, seine Armee über die Alpen, um bei Marengo
der österreichischen Armee gegenüberzutreten. Ein großformatiges
Bild von Jacques-Louis David feierte ein Jahr später diesen Sieg.
Das Konzept stammte allerdings nicht vom Künstler allein – Napo-
leon selbst hatte verlangt, »gelassen auf einem feurigen Pferd« ge-
zeigt zu werden, nicht mitten in der Schlacht, sondern wie er seine
Truppen ihrem ruhmreichen Schicksal entgegenführt.

Ein Porträt mit Pferd hatte eine starke symbolische Bedeutung.
Zahllose antike Helden und Anführer, wie Alexander der Große
und Marcus Aurelius, wurden reitend abgebildet, um ihre Macht
zu demonstrieren: die unbezähmbare Kraft gezähmt durch einen
unerschütterlichen Herrscher. Zu Napoleons Zeit galten vollblütige
Pferde immer noch als repräsentative diplomatische Geschenke, die
zwischen Staatslenkern ausgetauscht wurden.

Jacques-Louis David
Bonaparte beim Überschreiten der Alpen am Großen Sankt Bernhard, 1801
Öl auf Leinwand,
261 cm x 221 cm
Österreichische Galerie Belvedere

In Davids Gemälde ist Napoleons Ross voller angespannter Energie, völlig unter der Kontrolle seines selbstbewussten Reiters, der seine Männer zu ihrem überragenden Schicksal führt. Diese Episode hat allerdings so nicht stattgefunden: Napoleon überquerte die Alpen im Jahr 1800, allerdings im hinteren Teil seines Heers, auf einem Maultier reitend.

In einem asiatischen Kontext und mehr als ein Jahrtausend zuvor vermittelt *Nachtleuchtendes Weiß* eine bemerkenswert ähnliche Botschaft – obwohl das Thema dieses Bildes das Pferd ist, nicht der Reiter. Xuanzong von China (685–762), der am längsten regierende der Tang-Kaiser, liebte seine Kriegspferde, die aus dem weit entfernten Arabien und aus Zentralasien importiert wurden. Sein Lieblingspferd war Nachtleuchtendes Weiß. Die Überlegenheit dieser Pferde gegenüber den kleineren und schwächeren einheimischen Ponys machten sie zu Symbolen der Macht und der exotischen Wunder, die dank Chinas internationaler Handelsbeziehungen an den Rändern der bekannten Welt zu finden waren. Sie inspirierten nicht nur Gemälde, sondern auch Skulpturen und sogar Gedichte zu ihren Ehren, die von den begeisterten Mitgliedern der chinesischen Elite in Auftrag gegeben wurden.

WICHTIGE KUNSTWERKE

- Zugeschrieben Phidias, *Parthenon-Fries*, 438–432 v. Chr, British Museum, London, Großbritannien
- *Berittener Oba und Begleiter*, Tafel (Königshof von Benin, Nigeria), 1550–1680, Metropolitan Museum of Art, New York, USA
- George Stubbs, *Whistlejacket*, ca. 1762, National Gallery, London, Großbritannien
- Wassily Kandinsky, *Der blaue Berg*, 1908–1909, Guggenheim Museum, New York, USA

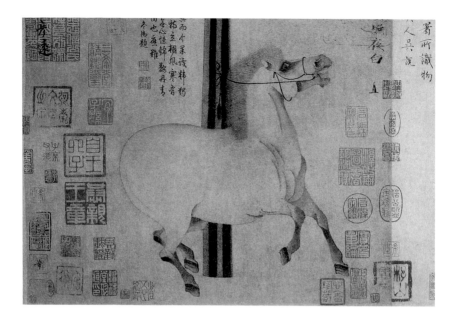

Han Gan
Nachtleuchtendes Weiß,
ca. 750
Handrolle; Tusche auf
Papier, 30,8 cm x 34 cm
Metropolitan Museum of
Art, New York

Man glaubte, dass diese
importierten Pferde
besonders das Prinzip des
Yang (des Männlichen)
verkörperten und die
latente Dynamik der
Natur symbolisierten.
Entsprechend entstand
eine Mythologie, laut
der es sich um getarnte
Drachen handelt und sie
Blut schwitzen.

DRACHEN

Drachen sind als Symbol in China schon lange allgegenwärtig. Es gab sie bereits in der antiken chinesischen Kunst, ihre bekannteste Form (gut zu sehen auf der Robe des chinesischen Kaisers auf S. 28) entstand jedoch etwa im 1. Jahrhundert v. Chr., vermutlich unter dem Einfluss der Steppenvölker, die im 1. Jahrtausend v. Chr. nach China strömten. Im Laufe der Zeit wurde das mystische Tier mit dem Himmel, den regenbringenden Wolken und glückverheißenden übernatürlichen Ereignissen assoziiert. Eines davon, festgehalten in historischen chinesischen Aufzeichnungen aus dem 1. Jahrhundert v. Chr., beschreibt die Geburt von Gaozu, einem herausragendsten Kaiser Chinas und Gründer der Han-Dynastie. Gaozus Mutter passierte laut dem Text Folgendes:

> [Sie] ruhte eines Tages am Ufer eines großen Weihers, als sie träumte, ihr begegne ein Gott. Zu diesem Zeitpunkt wurde der Himmel dunkel und füllte sich mit Donner und Blitz. Als Gaozus Vater nach ihr schaute, sah er einen schuppigen Drachen über der Stelle, an der sie lag. Sie wurde schwanger und gebar Gaozu.

Drachen spielen auch in der chinesischen Kosmologie eine Rolle (die sich von der buddhistischen Kosmologie wie im *Kosmologischen Mandala* auf S. 49 unterscheidet). Der Blaue Drache repräsentiert den Osten. In der Mitte (dem fünften Kardinalpunkt) sitzt der Gelbe Drache, der mit dem Kaiser selbst assoziiert wird. Er ist das persönliche Symbol des Kaisers, während der Kaiserin ein Phönix zugeordnet ist. Der Drache des Kaisers hat fünf Klauen an seinen Füßen statt der drei oder vier auf den Insignien der untergebenen Höflinge. Genau wie das Pferd repräsentiert er das Yang, die männliche Macht, und steht oft neben einem Phönix (Yin, weibliche Macht), um das Gleichgewicht zu wahren.

Qasim ibn 'Ali
Esfandiyars dritte Aufgabe: Er erschlägt einen Drachen, Folio aus dem *Shahnama* von Schah Tahmasp (*Buch der Könige*), ca. 1530
Deckende Wasserfarbe, Tusche, Silber und Gold auf Papier,
27,9 cm x 26,2 cm
Metropolitan Museum of Art, New York

Dieses Bild, gemalt am safawidischen Hof im Iran, enthält einen Drachen, der vom Stil der chinesischen Kunst beeinflusst ist, auch wenn ihm die Güte fehlt, die man normalerweise mit den Drachen aus dem Osten verbindet.

Drachen im chinesischen Stil, mit ihrem Beiklang von imperialer Autorität und Reichtum, fanden auch Aufnahme in die symbolische Sprache der benachbarten Gebiete, darunter Korea und Japan. In der Yuan-Dynastie (1271–1368) bestanden Handelswege zwischen China und dem restlichen Asien. In der Folge tauchten in der visuellen Kultur Persiens chinesische Motive auf, wie sich an *Jona und der Wal* auf S. 93 und in *Esfandiyars dritte Aufgabe: Er erschlägt einen Drachen*, einer Episode aus dem persischen *Shahnama*, dem Buch der Könige, zeigt. Die dritte der sieben Herausforderungen, denen sich Prinz Esfandiyar stellen muss: Töten des bösartigen Drachens, indem er ihn aus einem kastenartigen Streitwagen heraus ersticht. Der zähnefletschende Drachen, der vor Yang-Energie strotzt, ist vielleicht durch Bilder auf chinesischem Porzellan oder Gemälden beeinflusst, zeigt aber ein ganz anderes Wesen – im *Shahnama* ist er zum Symbol des Bösen geworden.

Im Christentum ist der Drache (wie die Schlange) ein Symbol der Sünde und des Teufels selbst. Allegorische Szenen zeigen, wie Drachen vom heiligen Georg und dem Erzengel Michael besiegt werden – das Böse muss der Tugend weichen. Auch Perseus im älteren, griechisch-römischen Mythos, war ein Drachentöter und beeinflusste möglicherweise die späteren christlichen Legenden.

William Blakes *Der große Rote Drache und die Frau, mit der Sonne bekleidet* ist eine Szene aus der biblischen Offenbarung und bietet uns originellerweise die Sicht des Drachen auf die Ereignisse. Blake lehnt sich an die mittelalterlichen europäischen Darstellungen von Drachen an (obwohl der Torso hier muskulös und offenbar von Michelangelo inspiriert ist), die im Prinzip Dämonen mit Flügeln und Hörnern sind, wie in Bartolomé Bermejos *Der Heilige Michael triumphiert über den Teufel* (S. 153).

William Blake
Der große Rote Drache und die Frau, mit der Sonne bekleidet
(Off. 12:1–4),
ca. 1803–1805
Schwarze Tusche und Wasserfarbe über Spuren von Graphit und eingeschnittenen Linien,
43,7 cm x 34,8 cm
Brooklyn Museum of Art, New York

Dieses Gemälde demonstriert Blakes künstlerischen Nonkonformismus: Zu dieser Zeit vermieden es Künstler im Allgemeinen, die bizarren Ereignisse aus der Offenbarung des Johannes darzustellen (wie Blake es hier getan hat), sondern zeigten lieber dessen Autor beim Schreiben dieses Bibelteils.

WICHTIGE KUNSTWERKE

- Paolo Uccello, *Der hl. Georg und der Drache*, ca. 1470, National Gallery, London, Großbritannien
- *Salomon auf dem Thron, umgeben von seinem Hofstaat* (Islam), spätes 18. Jahrhundert, British Museum, London, Großbritannien
- Utagawa Kuniyoshi, *Tamatori entkommt dem Drachenkönig* (Japan), Mitte 19. Jahrhundert, British Museum, London, Großbritannien
- Sir Edward Burne-Jones, *Das Schicksal erfüllt*, 1888, Southampton City Art Gallery, Southampton, Großbritannien

KÖRPER

-

**Wir sind Symbole und
bewohnen Symbole.**

-

Ralph Waldo Emerson
1844

SKELETT

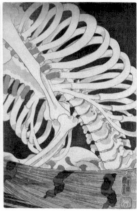

Vielleicht sah Utagawa Kuniyoshi die Geschichte von *Mitsukuni und dem Skelett-Gespenst* 1844 als Kabuki-Stück, die Handlung selbst war die Adaption eines japanischen Romans von 1807 und ging so: Nach einem Aufstand im Jahre 939 befahl der japanische Kaiser einem Krieger namens Ōya no Mitsukuni, die restlichen Rebellen aufzuspüren und zu töten. Mitsukuni reiste zum Palast von Sōma, dem Zufluchtsort der Tochter des Rebellenführers, Prinzessin Takiyasha. Mitsukuni wusste jedoch nicht, dass die Prinzessin bei einem Einsiedler Magie erlernt hatte. Mithilfe eines Zaubers, den sie von einer alten Schriftrolle ablas, beschwor sie die Geister der Rebellen und fügte sie zu einem riesigen Skelett zusammen, das den furchtlosen und schließlich siegreichen Mitsukuni bekämpfte.

Das Skelett-Motiv scheint zwar ein zeitloses und universelles Symbol der Sterblichkeit und des Makabren zu sein, taucht aber in der japanischen visuellen Kultur erst im 18. Jahrhundert auf. Das liegt vielleicht daran, dass europäische medizinische Bücher und ihre detaillierten anatomischen Zeichnungen von Toten erst zu diesem Zeitpunkt mit niederländischen Händlern ins Land kamen.

In der indischen Kunst dienten sie schon früh als Symbole, in Europa dagegen galten Skelette erst im späten Mittelalter als Kennzeichen für den Tod: Sie waren vor allem in Totentanz-Szenen zu finden, in denen

Utagawa Kuniyoshi
Mitsukuni besiegt das Skelett-Gespenst (Japan), ca. 1845
Farbholzschnitt auf Papier,
35,9 cm x 74,2 cm
Fine Arts Museum, San Francisco

In Utagawa Kuniyoshis *Mitsukuni besiegt das Skelett-Gespenst*, entstanden in Japan, erfüllt das Skelett seine bekannte Rolle als Verkünder des Todes. Kuniyoshis detaillierte und anatomisch realistische Darstellung eines Skeletts scheint von den wissenschaftlichen Zeichnungen inspiriert zu sein, die in europäischen medizinischen Texten zu finden waren.

sie mit den Bürgern herumtollten und diese zu ihren Gräbern führten. Auch bei den mexikanischen Feiern zum Tag der Toten, wenn die Seelen der Toten sich zu den Lebenden gesellen, sind sie allgegenwärtig.

Das Bild *Was mir das Wasser gab* von Frida Kahlo zeigt ein einsames Skelett auf einer Insel neben einem Vulkan (neben vielen weiteren Insekten, Pflanzen, Menschen und Tieren) in der Badewanne der Malerin. Das könnte einerseits ein Hinweis auf den Tag der Toten und die beliebten Skelett-Bilder José Guadalupe Posadas sein, andererseits könnte das Skelett auch auf die aztekischen Skelett-Gottheiten wie Mictlāntēuctli und Ītzpāpālōtl sowie die Volksheilige Santa Muerte verweisen. In der aztekischen Ikonografie war das Skelett furchterregend und stand für Zerstörung, allerdings in erster Linie als positive Kraft, die sagt, dass das Leben ohne die reinigende Energie des Todes unmöglich wäre.

Frida Kahlo
Was mir das Wasser gab,
1938
Öl auf Leinwand,
91 cm x 70 cm
Sammlung von Daniel
Filipacchi, Paris

Skelette sind in Kahlos Werk ein Symbol für Mexiko und stehen neben anderen Motiven aus der aztekischen Kultur und zahllosen weiteren mit persönlicher symbolischer Bedeutung, von Tieren und Pflanzen bis Blut, das sich auf ihre persönlichen kulturellen, politischen und weiblichen Erfahrungen bezieht.

WICHTIGE KUNSTWERKE

- Hieronymus Bosch, *Tod eines Geizhalses*, ca. 1485–1490, National Gallery, Washington, USA
- Hans Holbein, *Der Totentanz*, 1523–1525, Rijksmuseum, Amsterdam, Niederlande
- Paul Delvaux, *Schlafende Venus*, 1944, Tate, London, Großbritannien
- José Guadalupe Posada, *Calavera eines Soldaten aus Oaxaca*, 1903, Flugblatt, Collection A. V. Arroyo, Mexiko-Stadt, Mexiko

SCHÄDEL

Vom halbverdeckten Kruzifix in der oberen linken Ecke bis zu der gerissenen Saite an der gelben Laute zeigt Hans Holbeins Gemälde *Die Gesandten* (gemalt in London 1533) ein ungewöhnlich breites Spektrum an symbolischen Details. Weshalb der Künstler so viele geheimnisvolle Motive in das Bild aufgenommen hat, ist ein Rätsel, das zu weiteren, vermutlich nicht zu beantwortenden Fragen über den Grund für diesen Auftrag und die Beziehung zwischen den Männern führt. Vielleicht versuchte Jean de Dinteville (links), der das Porträt beauftragt hat, gemeinsam mit seinem Freund George de Selve (rechts) und Holbein, ein Bild zu erschaffen, das den Betrachter mit den Symbolen ihrer vielen intellektuellen Interessen überwältigt. Das bekannteste der Symbole ist die längliche Form im unteren Teil des Gemäldes – ein menschlicher Schädel in anamorphotischer Perspektive: Er ist nur sichtbar, wenn man ihn von oben rechts anschaut, in einem schrägen Winkel nach unten.

Holbein hatte zuvor bereits Skelette und Schädel in seiner tobenden und makabren Serie aus 41 Holzschnitten mit dem Titel *Der Totentanz* verwendet, in der die Skelette übelwollende Totenbringer sind, die willkürlich Opfern aus allen gesellschaftlichen Klassen

**Hans Holbein
der Jüngere**
Die Gesandten, 1533
Öl auf Eiche,
207 cm x 209,5 cm
National Gallery, London

Die Tatsache, dass der Schädel in anamorphotischer Perspektive gemalt wurde, ist sowohl ein philosophischer Punkt als auch ein optischer Trick – der Tod ist eine ungreifbare Realität, die das Leben in seinen Sog zieht, und keines von beiden kann man gleichzeitig klar fassen.

Unbekannter Künstler
*Chamunda, die
Entsetzliche Zerstörerin
des Bösen* (Indien),
10.–11. Jahrhundert
Sandstein, Höhe 113 cm
Metropolitan Museum
of Art, New York

**Chamunda, die
rachsüchtige Version
der schützenden und
mütterlichen Hindu-
Göttin Durga, trägt eine
Tiara, die mit Schädeln
und einer Mondsichel
geschmückt ist. Solche
Skulpturen waren für
die Außenmauern eines
Tempels gedacht; statt
Angst zu verbreiten,
sollten sie jedoch die
Harmonie wieder
herstellen, indem sie das
Böse bekämpften.**

nachstellen, von Kaisern und Mönchen bis zu Bauern. In *Die Gesandten* ist der Symbolismus passiver; der Schädel ist ein *Memento mori* – eine Erinnerung an die Allgegenwart des Todes und die Kürze des Lebens.

Die Art, wie Holbein das Symbol des Schädels benutzt, ist in der christlichen Kunst und der europäischen Stilllebenmalerei weit verbreitet: Oft ist er das Objekt des Nachsinnens über Sterblichkeit und ein Attribut von religiösen Figuren wie Franz von Assisi und Maria Magdalena. In manchen tibetanisch-buddhistischen und hinduistischen Kunstwerken haben Schädel gelegentlich einen weniger guten Zweck: Dort gehören Schädel zu den Insignien von Gottheiten, die sie manchmal als blutgefüllte Trinkgefäße nutzen.

WICHTIGE KUNSTWERKE

- *Mosaik mit Schädel und Richtwaage*, Sommertriclinium des Hauses 1, 5, 2 in Pompeji, 1. Jahrhundert, Archäologisches Nationalmuseum, Neapel, Italien
- Frans Hals, *Junger Mann mit Totenkopf (Vanitas)*, 1626–1628, National Gallery, London, Großbritannien
- Georgia O'Keeffe, *Cow's Skull: Red, White, and Blue*, 1931, Metropolitan Museum of Art, New York, USA
- Damien Hirst, *For the Love of God*, 2007, Privatsammlung

FUSS

Das Vorhandensein von Füßen hat in der östlichen und westlichen Kunst ganz unterschiedliche Bedeutungen. In der hinduistischen und buddhistischen Kunst ist der Fußabdruck heilig, da er das Mal einer Gottheit und ihrer Interaktion mit der Erde ist. Im Christentum kennzeichnet ein entblößter Fuß normalerweise die Demut des Armen.

Fußabdrücke des Buddha (*Buddhapada*) zeigt eine frühe Übernahme einer Technik, die zuvor von den Hindus benutzt wurde, um aus einem Fußabdruck einen Ort der Verehrung zu machen. Damit wird eine Stelle gekennzeichnet, an der er angeblich gewandelt ist – die Anbetenden können seine An- und Abwesenheit zugleich erleben.

Laut Bibel wusch Jesus seinen Jüngern die Füße und zeigte damit seine Demut. Als Reaktion auf diese Geschichte erklärte Niccolò Lorini del Monte, ein italienischer Gelehrter des 17. Jahrhunderts, im Jahre 1617, dass »Füße von der heiligen Kirche als Symbole der Armen und Demütigen betrachtet werden dürfen ... Füße sind der letzte und niedrigste Teil des menschlichen Körpers, die Armen und

Unbekannter Künstler
Fußabdrücke des Buddha
(Buddhapada),
2. Jahrhundert
Schiefer, 86,36 cm x
125,1 cm x 6,35 cm
Yale University Art
Gallery, Yale

Jeder Fuß dieses Werkes enthält zwei Dharmachakras. In der Mitte befindet sich eine Lotosblume, auf den Fersen ist jeweils ein Triratna-Symbol und Swastiken sowie Dreizacke verzieren die Zehen. Ähnliche Fußabdrücke findet man in Sri Lanka, Thailand, China und Japan.

Caravaggio
Madonna di Loreto, 1606
Öl auf Leinwand,
260 cm x 150 cm
Kirche Sant'Agostino,
Rom

Solch ein ungehemmter, völliger Realismus, wie er sich an den nackten Füßen hier zeigt, war im Kontext eines religiösen Bildes eine radikale Wendung am Anfang des 17. Jahrhunderts. Er verklärt die Armen und sollte die Reichen daran erinnern, ihre mildtätige Pflicht gegenüber den Benachteiligten zu erfüllen.

Demütigen sind der letzte Teil und haben den letzten Platz in der Kirche.« Caravaggios *Madonna di Loreto* entstand in Rom einige Jahre zuvor und zeigt zwei Pilger, die sich einer Vision der Madonna nähern. Der Künstler stellte deren abgehärmte Füße in den Fokus und zwang damit sein Publikum, über die Verantwortung der Kirche für die Schwächsten der Gesellschaft nachzudenken.

WICHTIGE KUNSTWERKE

- *Der Dornauszieher,* 1. Jahrhundert v. Chr., Konservatoren-palast, Kapitolinische Museen, Rom, Italien
- Andrea Mantegna, *Beweinung Christi*, ca. 1480–1500, Pinacoteca di Brera, Mailand, Italien
- *Liegender Buddha*, 1832, Wat Pho, Bangkok, Thailand
- Ford Madox Brown, *Jesus Washing Peter's Feet*, 1852–1856, Tate, London, Großbritannien

POSE

In der westlichen Kunst hat die Haltung des menschlichen Körpers normalerweise immer irgendeine Bedeutung. Doch angesichts der schieren Vielfalt der körperlichen Gesten (und der unterschiedlichen Möglichkeiten, diese je nach gesellschaftlichem und kulturellem Kontext zu interpretieren) ist es oft schwer, bestimmte Bedeutungen festzulegen. In der religiösen Kunst, in Tanz und Meditation Südostasiens jedoch sind die Körperstellungen (*Asanas*) kodifiziert und tragen feste Bedeutungen. Im Yoga sollen sie das spirituelle Erlebnis verstärken, indem sie den Körper empfänglich für die Meditation machen.

Ein Beispiel aus diesem Kanon aus Positionen, Gesten und Gesichtsausdrücken ist das *rajalilasana*, in etwa: »königliche Ruhe«. Die Beine sind überkreuzt und ein Knie ist zur Bequemlichkeit leicht angehoben,

Unbekannter Künstler
*Der Bodhisattva
Avalokiteshvara in
königlicher Ruhe sitzend
(Kambodscha),*
10.–11. Jahrhundert
Kupferlegierung und
Silberintarsien,
57,8 cm x 45,7 cm x
30,5 cm
Metropolitan Museum
of Art, New York

**Diese Haltung bricht mit
der Strenge der typischen
flachen Lotos-Position,
die für den Buddha reserviert ist. Avalokiteshvara
wirkt dadurch mobiler
und scheint sowohl auf
seine Umgebung als auch
auf sein sterbliches Publikum zu reagieren.**

wie beim *Bodhisattva Avalokiteshvara*. Die Statue stellt den Bodhisattva des Mitgefühls und der Gnade besonders geschmeidig und heiter dar. Schnurrbart, Augen und Augenbrauen waren einst Intarsien aus schwarzem Glas, die seinem Gesicht einen schimmernden Glanz verliehen haben dürften, der die sanfte Autorität seines Gesichtsausdrucks ergänzte. Den größten symbolischen Wert für sein ursprüngliches Publikum hatte jedoch vermutlich seine Pose. Sie sollte daran erinnern, dass die Könige der Khmer mit dem Göttlichen verbunden waren, was vermuten lässt, dass dieses Exemplar vielleicht sogar einen bestimmten Khmer-Herrscher darstellte, der die Gnade eines Bodhisattvas verkörperte.

Andere Beispiele für *Asanas* sind: die Lotos-Position (*padmasna* – sitzend mit gekreuzten Beinen, die Fußsohlen nach oben) und die Entspannungshaltung (*lalitasana* – wie die Lotos-Position, aber mit einem herunterhängenden Bein).

Auch in der europäischen Kunst gibt es typische Posen. Beim Kontrapost ist ein Bein leicht gebeugt, sodass sich die Hüften neigen (wie etwa bei Merkur in Botticellos *Primavera* auf S. 18–19). Im Adlocutio streckt die Figur einen Arm aus wie ein Anführer, der zu seinen Truppen sprechen möchte (zu sehen bei Davids *Bonaparte beim Überschreiten der Alpen am Großen Sankt Bernhard* auf S. 103).

Grayson Perrys *The Adoration of the Cage Fighters* gehört zu einer Reihe von Wandteppichen, die eine erfundene Person des 21. Jahrhunderts namens Tim und seine Odyssee durch das englische Klassensystem darstellen. Sie greifen Themen aus der Kunstgeschichte auf und übernehmen und adaptieren Posen, Symbole und Kompositionen von bekannten Vorbildern aus dem westlichen Kanon. Perry parodiert ganz offen religiöse Gemälde wie Andrea Mantegnas *Die Anbetung der Hirten*, ca. 1450, mit zwei Martial-Arts-Kämpfern, die in einem ehrfürchtigen Kniefall Tims desinteressierter Mutter Gaben darbieten, die für ihren Heimatort Sunderland von Bedeutung sind – ein Baby-Trikot des Sunderland Football Club und eine Grubenlampe.

WICHTIGE KUNSTWERKE

- Adlocutio – *Augustus von Primaporta*, 1. Jahrhundert, Vatikanische Museen, Vatikanstadt
- Lalitasana – *Thronender Vishnu*, zweite Hälfte des 8. bis frühes 9. Jahrhundert, Metropolitan Museum of Art, New York, USA
- Padmasna – *Sitzender Buddha Amitabha (Amida Nyorai)*, ca. 794–1185, Asian Art Museum, San Francisco, USA
- Kontrapost – Michelangelo, *David*, 1501–1504, Galleria dell'Accademia, Florenz, Italien

Grayson Perry
*The Adoration of the
Cage Fighters*, 2012
Wandteppich aus Wolle,
Baumwolle, Akrylgarn,
Polyester und Seide,
200 cm x 400 cm
Arts Council Collection,
London

Die Symbole, die Grayson
Perrys Wandteppich
schier überwuchern,
zeigen uns eine Vielzahl
von Ebenen der Identität,
die im modernen Großbri-
tannien eine Rolle spielen.
Viele beziehen sich auf
die Popkultur, die Kom-
position jedoch ist durch
ein Altarbild aus der
Renaissance inspiriert und
beweist den immer noch
vorhandenen Einfluss
bestimmter historischer
Symbole und Posen.

HANDGESTEN

In der hinduistischen und buddhistischen Kunst symbolisieren die Handgesten einer Gottheit, *Mudras* genannt, religiöse Bedeutungen. Sie wurden genau wie die *Asanas* (Körperposen) im 1. Jahrtausend in Asien kodifiziert, möglicherweise abgeleitet aus den Gesten ritueller Tänze. Ein frühes Beispiel für die Etablierung dieser Sprache ist der *Stehende Buddha* von Gandhara, dessen rechte Hand mit der Handfläche nach vorn erhoben war. Diese *abhaya-mudra* genannte Geste bedeutet göttlichen Schutz und die Abwehr aller Furcht. In späteren Skulpturen wurde diese Geste mit einer nach unten weisenden offenen linken Hand kombiniert, die das Gewähren eines Wunsches andeutet – *varada-mudra* (zu sehen an der chinesischen Skulptur des *Buddha Maitreya* aus dem 6. Jahrhundert auf S. 134 und dem *Shiva Nataraja* auf S. 33). Der japanische *Buddha Amida* aus dem 12. Jahrhundert ist in der *padmasna*-Pose mit beiden Händen im *vitarka-mudra*, das Lehren bedeutet, mit dem aus Daumen und Zeigefingern gebildeten Rad des Gesetzes (*dharmachakra*), dargestellt.

Oben links:
Unbekannter Künstler
Stehender Buddha
(Pakistan – antike Region
um Gandhara),
ca. 2. Jahrhundert
Schiefer, 119,7 cm
Cleveland Museum of
Art, Cleveland

In der *abhaya-mudra*-
Geste bedeutet die
erhobene rechte Hand
die Gewährung von
Schutz und Sicherheit für
die Anbetenden.

In der europäischen Kunst lassen sich zahllose Handgesten be-
stimmen, von denen manche einfacher interpretiert werden können
als andere. Besonders verbreitet jedoch ist das Segenszeichen, bei
dem nur Daumen, Zeige- und Mittelfinger ausgestreckt sind, mit denen die Dreifaltigkeit aus Vater, Sohn und Heiligem Geist symbolisiert
wird. Riemenschneiders *Holzstatue eines Bischofs* zeigt vermutlich den
aus England stammenden Bischof Burkard von Würzburg, der 754
starb. Die Hand, die sich dem gläubigen Betrachter entgegenstreckt,
erweckt die Figur ebenso zum Leben wie die außerordentlich einfühlsame und natürliche Darstellung der Gesichtszüge des Mannes.

Gegenüber, rechts:
Unbekannter Künstler
Buddha Amida (Japan),
ca. 1125 bis ca. 1175
Holz,
87 cm x 71 cm x 56,5 cm
Rijksmusum, Amsterdam

Die Berührung der
Spitzen von Daumen und
Zeigefinger, um einen
Kreis zu bilden, wird als
vitarka-mudra bezeichnet
und ist eine Geste des
Lehrens und das Symbol
des buddhistischen »Rad
des Gesetzes«.

WICHTIGE KUNSTWERKE

- *Sultanganj Buddha*, ca. 500–700, Birmingham Museum and Art
  Gallery, Birmingham, Großbritannien
- *Sitzender Buddha* (Pakistan – antike Region um Gandhara),
  1. bis Mitte 2. Jahrhundert, Metropolitan Museum of Art,
  New York, USA
- *Buddha erklärt das Dharma* (Anuradhapura, Sri Lanka), spätes
  8. Jahrhundert, Metropolitan Museum of Art, New York, USA
- *Christus Pantokrator*, 12. Jahrhundert, Mosaik, Hagia Sophia,
  Istanbul, Türkei

Tilman Riemenschneider
Holzstatue eines Bischofs
(evtl. *Burkard von*
Würzburg), ca. 1515–1520
Lindenholz mit Spuren
von Bemalung, 82,3 cm x
47,2 cm x 30,2 cm
National Gallery of Art,
Washington

Das Segenszeichen (bei
dem Daumen, Zeige-
finger und Mittelfinger
ausgestreckt sind) wird
von der Geistlichkeit im
christlichen Gottesdienst
gespendet.

BLUT

In vielen Kulturen ist Blut ein Symbol der Lebenskraft. Opfer, bei
denen Blut vergossen wird, und das rituelle Auftragen von Blut
(z. B. das Bestreichen von Votivgaben mit Blut) sind in den griechisch-
römischen, mithraischen, hinduistischen, Maya-, frühen jüdischen
und westafrikanischen Voodoo-Religionen verbreitet. Auch für die
Maya- und aztekischen Rituale und Kunstwerke war Blut ein wichtiges
Element. Im Glauben der Azteken entstand die Menschheit aus dem
Blut der Götter, sodass nun in Form von Menschenopfern eine Art
»Blutschuld« zurückgezahlt werden müsse. In der westlichen Kultur
hatte Blut symbolische Verbindungen mit Konzepten wie Opfer und
Authentizität des Einzelnen in Form von familiären Abstammungs-
linien (Stammbaum) und vertraglichen Verpflichtungen (»Blut-
schwur«). Das Blut von Jesus ist eines der wichtigsten christlichen
Symbole und wird während des Ritus der Eucharistie (Abendmahl)
beschworen, um Vergebung zu erlangen. In Bildern der Kreuzigung
wird häufig Blut dargestellt, manchmal in großen Mengen, das gelegentlich von Engeln in Gefäßen aufgefangen wird.

Marc Quinns *Self* ist eine Skulptur seines Kopfes aus 4,5 Litern
Blut, das er über mehrere Monate seinem Körper entnommen und
in einem Kasten aus Plexiglas eingefroren hat. Es ist eine Antwort
auf ein Problem, mit dem Bildhauer schon immer konfrontiert sind:
Wie lässt sich das Modell wirklich in einem ansonsten statischen
und leblosen Kunstobjekt festhalten? Blut als Zeichen von Echtheit,
Lebenskraft und Martyrium verbindet Quinn daher mit der Historie
des künstlerischen und religiösen Symbolismus.

Marc Quinn
Self, 2006
4,5 Liter Blut (des
Künstlers), Edelstahl,
Plexiglas und
Gefriereinrichtung,
208 cm x 63 cm x 63 cm
Privatsammlung

In Quinns innovativer
Skulptur ist der Künstler
das Kunstwerk, geschaf-
fen aus seinem eigenen
Blut. Die Kulturgeschich-
te ist voller Geschichten
von Selbstopferungen
im Namen der Kunst,
aber nur wenige mit so
viel Unverfrorenheit wie
diese.

Im Bild von Chinnamastā aus dem 19. Jahrhundert (gegenüber) wurden Sexualität und Tod kühn miteinander verbunden. Die
zentrale Figur, eine übelwollende Version der Muttergöttin Devi,
wird gezeigt, nachdem sie sich selbst geköpft hat. Sie steht auf den
Körpern zweier weiterer Gottheiten, Rati und Kama, die in einer
Lotosblume Sex haben. Der Ursprung von Chinnamastā ist in den
hinduistischen und buddhistischen Tantra-Traditionen zu finden und
die Darstellung ihres Selbstopfers verweist auf das Kundalini-Yoga,
bei dem die Energien des Körpers durch drei Kanäle freigesetzt
werden, repräsentiert durch die drei Flüsse des Blutes. Das Bild
symbolisiert also eine spirituelle Erleuchtung. Die Tatsache, dass
Chinnamastā auf einem Paar mitten im Sexualakt steht, impliziert,
dass Schöpfung und Zerstörung ineinandergreifende Konzepte sind.

WICHTIGE KUNSTWERKE

- Caravaggio, *Judith und Holofernes*, Galleria Nazionale d'Arte
  Antica im Palazzo Barberini, Rom, Italien
- Meister des Todes des heiligen Nikolaus von Münster, *Kalva-
  rienberg*, ca. 1470–1480, National Gallery, Washington, USA
- Thomas Eakins, *Die Klinik Gross*, 1875, Philadelphia Museum of
  Art, Philadelphia, USA
- Ravi Varma, *Kali*, 1910–1920, Metropolitan Museum of Art,
  New York, USA

Unbekannter Künstler
Chinnamastā (Indien),
19. Jahrhundert
Farbholzschnitt,
28 cm x 23 cm
British Museum, London

Chinnamastās Begleite-
rinnen sowie ihr eigener
körperloser Kopf trinken
von dem hervorspritzen-
den Opferblut, um an
dessen belebender Kraft
teilzuhaben.

AUGE

Nicolas Poussin
Selbstbildnis, 1650
Öl auf Leinwand,
98 cm x 74 cm
Louvre, Paris

**Die Frau und ihr
verdeckter Partner
in dem Gemälde im
Hintergrund scheinen
eine Allegorie auf die
»Freundschaft« zu sein,
die auf die »Malerei«
trifft, die wiederum
durch ein Auge
symbolisiert wird, das
wichtigste Sinnesorgan
des Künstlers.**

Der französische Barockmaler Nicolas Poussin schuf 1650 sein
Selbstbildnis als Geschenk für seinen Mäzen Paul Fréart de Chantelou.
Er verfolgte mit diesem Gemälde zwei Hauptziele: Er wollte erstens
seine künstlerische Philosophie zusammenfassen und zweitens seine
intellektuelle Beziehung mit Chantelou ausdrücken. Für das erste Ziel
kleidete er sich in die schwarze Robe eines Gelehrten und begegnet
uns mit einem ernsten, entschlossenen Blick. Seine Augen sind allerdings nicht die einzigen in dem Bild. Eines der Gemälde, die hinter ihm
in seinem Atelier aufgestapelt sind, zeigt eine Frau mit einem Diadem,
deren Auge fest auf etwas gerichtet ist, sowie ein Paar ihr entgegen-
gestreckter Arme. Dies verdeutlicht das zweite Ziel des Gemäldes, die
geistige Verbindung zwischen dem Mäzen und dem Maler zu zeigen.

Das Augenmotiv hat eine Historie: In einem Dreieck (wie auf einer Pyramide auf der Rückseite des amerikanischen Ein-Dollar-Scheins) repräsentiert es das allwissende »allsehende Auge«, dessen Ursprung in der christlichen Ikonografie liegt. Auch Buddha und die Bodhisattvas, die eine verstärkte spirituelle Wahrnehmung haben, werden oft mit einem dritten Auge auf der Stirn dargestellt (wie *Der Bodhisattva Avalokiteshvara in königlicher Ruhe sitzend* auf S. 118).

Doch bereits die ägyptische Ikonografie kannte Augenembleme. Ein Augenpaar auf einem Sarg erlaubte dem Verblichenen einen Blick in das Nachleben, ein einzelnes Auge wehrte das Böse ab. Das Horusauge war eine Mischform aus einem menschlichen und einem Lannerfalkenauge und zeigte die stilisierten dunklen Abzeichen an den Augenbrauen und Wangen des Vogels (zur Verbindung zwischen dem Falken und Horus siehe S. 77). Entsprechend der ägyptischen Religion verlor Horus ein Auge bei seinem Kampf mit seinem Onkel Seth, wurde jedoch später von Thoth geheilt.

WICHTIGE KUNSTWERKE

- *Goldenes Horusauge* (Thonis-Herakleion), 332–330 v. Chr., Nationalmuseum, Alexandria, Ägypten
- Francesco del Cossa, *Heilige Lucia*, ca. 1473–1474, National Gallery, Washington, USA
- *Buddha-Kopf* (wahrscheinlich Afghanistan), 300–400, Victoria and Albert Museum, London, Großbritannien
- René Magritte, *Der falsche Spiegel*, 1929, Museum of Modern Art (MoMA), New York, USA

Unbekannter Künstler
Horusauge-Amulett,
ca. 664–525 v. Chr.
Glasierte Struktur,
5 cm x 6,8 cm x 0,7 cm
British Museum, London

Dieses Amulett war klein genug, um getragen oder festgehalten zu werden und so auf allen Wegen Schutz für seinen Besitzer zu bieten. Man glaubte, dass Amulette, die das Auge des Horus darstellten, ihren Besitzern Schutz und Heilung versprachen.

ENGEL

Engel sind göttliche Mittler zwischen dem Himmel und der Erde. In der mesopotamischen, ägyptischen, griechisch-römischen, islamischen, hinduistischen, buddhistischen, jüdischen und christlichen religiösen Kunst begegnen uns die unterschiedlichsten engelsartigen himmlischen Wesen. Im 5. Jahrhundert legte der Theologe Pseudo-Dionysius in seinem Text *Die himmlische Hierarchie* die kanonischen Ränge der christlichen Engelschöre fest. In Masolinos *Die Himmelfahrt der Jungfrau*, gemalt in Florenz, wurden diese Ränge und ihre Positionen relativ zum Himmel in ein schallendes Gewimmel umgewandelt. Von den Engeln, die der Jungfrau am nächsten sind, bis zum äußersten Ring ergibt sich folgende hierarchische Ordnung:

1. Seraphim – die »Brennenden« stehen der Jungfrau am nächsten. Es sind rote Wesen mit sechs Flügeln, deren Körper nicht gezeigt werden.
2. Cherubim – die, »die preisen«, werden im nächsten Ring nach außen gezeigt. Sie sind blau, mit vier Flügeln und auch bei ihnen sind die Körper nicht zu sehen.
3. Throne – ganz oben in Blau. Sie halten manchmal Throne, hier jedoch tragen sie Mandorlen (mandelförmige Auren), die zu der großen Mandorla passen, in der die Jungfrau enthalten ist.
4. Herrschaften – die Kugeln und Zepter tragen, von denen Licht ausgehen sollte.
5. Mächte – sie halten Schriftrollen, die ihre Namen verkünden.
6. Gewalten – sie tragen Rüstungen, Schilder und Schwerter zum Besiegen des Bösen.
7. Fürsten – mit Fahnen der Auferstehung – ein rotes Kreuz auf weißem Grund, das auch als Georgskreuz bezeichnet wird und später zur Fahne von England wurde.
8. Erzengel – die Ordnung der Engel, die am häufigsten mit der Menschheit in Kontakt treten.
9. Engel – die niedrigste Klasse der Engel, die manchmal auch mit den irdischen Geschehnissen befasst sind.

Masolino
Die Himmelfahrt der Jungfrau, mittlere Tafel (Rückseite) aus dem Triptychon der Santa Maria Maggiore, Rom, ca. 1428
Tempera, Öl und Gold auf Holz, 144 cm x 76 cm
Museo di Capodimonte, Neapel

Masolinos Gemälde stellt die neun Chöre der Engel an ihren jeweiligen Positionen in der himmlischen Hierarchie dar.

Die Engel in *Schah Jahan auf einer Terrasse mit einem Anhänger mit seinem Porträt* sollten die Überlegenheit des indischen Kaisers als Beherrscher des riesigen und kulturell überlegenen Mogulreiches (1526–1857) unterstreichen. Sein Porträt ist ein bombastisches Beispiel für seine Ichbezogenheit: Er schaut auf seine Porträtminiatur, während sein Kopf von einem goldenen Glorienschein beleuchtet ist und Cherub-artige Engel durch die Wolken tollen, so als würden sie die göttliche Figur unter ihnen ehren wollen.

WICHTIGE KUNSTWERKE

- *Engel auf einem Teppich sitzend* (Scheibaniden-Dynastie, Buchara), ca. 1555, British Museum, London, Großbritannien
- Francesco Botticini, *Mariae Himmelfahrt*, ca.1475–1476, National Gallery, London, Großbritannien
- Giotto, *Beweinung Christi*, 1305, Cappella degli Scrovegni, Padua, Italien
- Antony Gormley, *Angel of the North*, 1998, Gateshead, Tyne and Wear, Großbritannien

Chitarman
Schah Jahan auf einer Terrasse mit einem Anhänger mit seinem Porträt, Folio aus dem *Schah Jahan Album*, 1627–1628
Tusche, deckende Wasserfarbe und Gold auf Papier,
38,9 cm x 25,7 cm
Metropolitan Museum of Art, New York

Das Vorhandensein der Engel in dieser Szene beweist, dass den Mogul-Künstlern die Symbole der europäischen Kunst vertraut waren und sie bereit waren, sie in ihre eigene darstellende Kunst aufzunehmen.

NIMBUS

Gloriolen oder Halos – runde Lichtscheiben, die Göttlichkeit symbolisieren – gibt es in der Bilderwelt zahlloser eurasischer Religionen, darunter der Zoroastrianismus, Mithraismus, griechisch-römischer Mythos, Buddhismus und die vedischen Glaubensrichtungen. In der christlichen Kunst tauchten sie als Heiligenschein erst etwa im 5. Jahrhundert auf. Am gebräuchlichsten waren hier runde Heiligenscheine. Quadratische Heiligenscheine waren lebenden Heiligen vorbehalten, während dreieckige für Gott-Vater reserviert blieben (die Form nahm auch das »allsehende Auge Gottes« auf; siehe S. 129).

Buddha Maitreya ist sowohl ein Buddha als auch ein Bodhisattva – man glaubt, er sei der »künftige« Buddha, der nach dem bevorstehenden Untergang der Menschheit in aller Herrlichkeit wiederkehrt. Seine Hände zeigen die *varada-mudra*-Geste, um Schutz und Gunst zu gewähren, begleitet wird er von einer Gruppe musizierender Nymphen (sogenannter *Apsaras*), Bodhisattvas und Mönchen. Auf der Rückseite des *Buddha Maitreya* befindet sich eine Inschrift, die erklärt, dass er von einem Mann bestellt wurde, dessen Sohn gestorben war. Er hoffte, dass er und sein Sohn im Königreich der Reinheit, das vom prächtigen Maitreya regiert wird, wieder vereint werden würden.

Unbekannter Künstler
Buddha Maitreya (China),
524, Goldbronze,
Höhe 76,8 cm
Metropolitan Museum
of Art, New York

In dieser im 6. Jahrhundert geschaffenen Skulptur aus Luoyang in China steigt der Buddha/ Bodhisattva in Herrlichkeit auf die Erde herab. Direkt hinter seinem Kopf ist ein Nimbus zu sehen, während ein größerer, flammender Nimbus (Mandorla) seinen ganzen Körper umschließt.

WICHTIGE KUNSTWERKE

- *Krönungszeremonie von Schapur II.*, 363–379, Taq-e Bostan, Iran
- *Stehender Buddha, der Schutz anbietet* (Indien), spätes 5. Jahrhundert, Metropolitan Museum of Art, New York, USA
- *Christus reicht San Vitale die Märtyrerkrone*, ca. 546, Kirche San Vitale, Ravenna, Italien
- *Die Jungfrau und das Kind in einer Mandorla mit Cherubim* (römischer oder umbrischer Künstler), ca. 1480–1500, National Gallery, London, Großbritannien

BESITZTÜMER

—

Von allen irdischen Gütern und Errungenschaften des Menschen sind bei Weitem die edelsten seine Symbole.

—

Thomas Carlyle
1836

MUSCHEL

Eine passive, lässig gestikulierende Venus, bis auf ihren Gold-
schmuck nackt, bewegt sich in einer Muschel sanft über die Wellen,
wobei auch ihr Schleier eine Muschelform annimmt. *Venus in der
Muschel* sollte den Blick der Betrachter in Pompeji anziehen, die
Venus nicht nur als Göttin der Liebe und Schönheit verehrten, sondern auch als Schutzpatronin der Stadt. Dieses Bild vereinigt zwei
verbreitete Assoziationen von Muscheln in der Kunstgeschichte:
Weiblichkeit und Zeugung. Die Geburt der Venus soll sich ereignet
haben, nachdem der Titan Cronos seinen Vater Uranus kastriert und
seine Genitalien ins Meer geworfen hatte. Die Göttin wurde durch
den Verkehr zwischen Samen und Meerwasser gezeugt, aus einer
Muschel geboren und von den Wellen an Land gespült.

Die Assoziation der Muscheln mit der Fruchtbarkeit leitet sich
aus ihrer Verbindung zum Wasser ab. Eines der vier Attribute der
Hindu-Gottheit Vishnu ist eine Muschel, und in *Vishnu in seinem
kosmischen Schlaf* aus Uttar Pradesh, Indien, ist der Gott mit einer
Schneckenmuschel in der linken Hand dargestellt. Vishnu schläft
im Urmeer und erschafft dabei die Welt. Die mächtige, vielköpfige
Schlange Anata (die Vishnu links in der Skulptur in seinem Lager
umschlängelt) und eine Lotospflanze, die aus seinem Nabel aufsteigt und auf der Brahma sitzt, sind ebenfalls im Relief zu sehen.
Die Muschel stellt den Bezug zur Umgebung des Urmeers her und

Unbekannter Künstler
Venus in der Muschel,
Raum 8 der Casa della
Venere in Conchiglia,
vor 79 n. Chr.
Fresko
Pompeji, Italien

**Dieses Fresko anti-
zipiert – in flacher Form
und zentralisierter Kom-
position – die spätere
und berühmtere Geburt
der Venus von Boticelli in
der Renaissance, ebenso
einige Aktgemälde in
Rückenlage, die später
in der westlichen Welt
entstanden.**

Unbekannter Künstler
Vishnu in seinem
kosmischen Schlaf, 11. Jh.,
Sandstein,
36,8 cm x 55,9 cm x
11,4 cm
Los Angeles County
Museum of Art, Los
Angeles

**Die Schneckenmuschel
ist das Attribut Vishnus,
mit dem er am häufigsten
dargestellt ist, hier hält
er es an seinen linken
Schenkel.**

ist darum als Symbol der Geburt zu verstehen, ebenso wie für den Aphrodite/Venus-Mythos.

Neben Weiblichkeit und Zeugung haben Muscheln in verschiedenen Kontexten zahlreiche weitere Bedeutungen. In Benin wurden Kaurimuscheln als Währung anerkannt und in Skulpturen aus dieser und anderen afrikanischen Regionen signalisieren diese Muscheln Reichtum und Macht. Im Hinduismus ist die Schneckenmuschel ein wichtiges Symbol und wird in Ritualen als Trompete verwendet. In Europa war die Schale einer Jakobsmuschel das Symbol des heiligen Jakobus. Seine Gebeine wurden in Santiago de Compostela bestattet, was zu einem großen Pilgerort wurde. Darum ist die Muschel auch das Symbol des Jakobswegs.

WICHTIGE KUNSTWERKE

- Sandro Botticelli, *Die Geburt der Venus*, ca. 1485, Uffizien, Florenz, Italien
- Caravaggio, *Das Abendmahl in Emmaus*, 1601, National Gallery, London, Großbritannien
- *Helmmaske*, vor 1880 (Bamum-Königreich, Kamerun), Metropolitan Museum of Art, New York, USA
- Eileen Agar, *The Autobiography of an Embryo*, 1933–1934, Tate, London, Großbritannien

PFEIL UND BOGEN

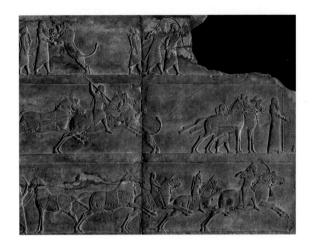

Pfeile sind häufige Symbole militärischer Herrschaft und der Jagd. Die ägyptischen Pharaonen symbolisierten zum Beispiel ihre Herrschaft über die Welt, indem sie bei einer Zeremonie vier Pfeile in die vier Punkte des Kompass schossen. Im 17. Jahrhundert v. Chr. betrachtete der assyrische König Assurbanipal den Pfeil als Symbol entscheidender Macht, denn er war damit in der Lage, seinen Feinden auch aus einem großen Abstand schweren Schaden zuzufügen. Der Löwe, dargestellt in größter Aggression, ist der Gegenpart zu Assurbanipals kühler Effizienz.

In anderem Kontext sind Pfeile eher das Werkzeug der Liebe als des Krieges. Der Kindergott Eros/Amor aus der griechisch-römischen Mythologie, der in Agnolo Bronzinos *Venus und Amor* dargestellt ist, besitzt einen Pfeil mit goldener Spitze, der bei dem, den er damit trifft, leidenschaftliche Liebe hervorruft. Doch über die genaue Bedeutung der Rolle des Pfeils und der anderen Figuren und Gegenstände in Bronzinos Gemälde sind sich die Kunsthistoriker uneinig. Es war ein Geschenk von Cosimo I. de' Medici, Großherzog der Toskana, für den König von Frankreich, Franz I. Und das erklärt vielleicht die Komplexität des Bildes: Cosimo wusste, dass Franz I. es liebte, die abstrusen Symbole im Bild zu entschlüsseln – ebenso wie er die viele nackte Haut und die verschwenderischen Stoffe lieben würde. Bronzino war der perfekte Maler für eine solche Herausforderung, weil er sowohl Dichter als auch Maler war. Seine Verse

Unbekannter Künstler
Löwenjagd, Wandrelief aus dem Nordpalast, Ninive (jetzt Nordirak),
ca. 645–635 v. Chr.
Alabaster,
63,5 cm x 71,1 cm
British Museum, London

Diese Szene aus dem Nordpalast in Ninive ist eine Allegorie der Kriege des assyrischen Königs Assurbanipal gegen seine Feinde, die Ägypter, Elamiten und Babylonier. Der Pfeil kennzeichnet die Macht seiner Armeen.

waren erotisch, euphemistisch und voller Anspielungen, und fast jedes Wort hatte eine doppelte, dunklere Bedeutung.

Venus und Amor übernimmt seine dichterischen Fähigkeiten ins Bild und baut darauf, dass der Betrachter Assoziationen zu den verschiedenen Symbolen herstellt. Damit untergräbt er unsere Vorstellung von einer Szene mit der Göttin der Liebe und ihrem Sohn. Amors goldene Pfeile sind die Pfeile der Liebe und der Figuren um das Paar herum – die Eifersucht (möglicherweise eine Allegorie zur Syphilis), der kindliche Genuss (zu betäubt, um die Dornen im Fuß zu spüren), die List mit Honigwabe und giftigem Schwarz, der moralisierende Vater Zeit und die Masken der Täuschung – alle scheinen die dunklen Seiten der Leidenschaft widerzuspiegeln.

WICHTIGE KUNSTWERKE

- *Krieger zu Pferde*, 14. Jh, Nationalmuseum, Kyoto, Japan
- Paolo Veronese, *Allegorie der Liebe II (Hohn)*, Mitte der 1540er-Jahre, National Gallery, London, Großbritannien
- *The Emperor Jahangir with Bow and Arrow*, ca. 1603, Arthur M. Sackler Gallery, Washington, USA
- Sir Joshua Reynolds, *Colonel Acland and Lord Sydney: The Archers*, 1769, Tate, London, Großbritannien

Agnolo Bronzino
Venus und Amor, ca. 1545
Öl auf Holz,
146,1 cm x 116,2 cm
National Gallery, London

Hier scheint ein Akt der gegenseitigen Täuschung vor sich zu gehen: Venus stiehlt einen Pfeil aus Amors Köcher, während er ihr die Krone vom Kopf nimmt.

KRONE

Eine Krone ist eines der deutlichsten Symbole für Herrschaft und Ruhm, in der Kunst kann sie eines der Attribute siegreicher Gottheiten, weltlicher Herrscher wie auch Meister in Sport und Kultur sein.

Der auf der Terrakotta-Büste gegenüber dargestellte König von Ife, einer Stadt, die jetzt in Nigeria liegt, trägt eine Perlenkrone, auch als *Adenla* bekannt. In der Ife-Kultur wird der König als Heiliger verehrt, dessen Krone nicht nur ein Statussymbol war; der Akt des Tragens sollte ihn mit den Geistern jedes vorherigen Herrschers verbinden. Skulpturen wie diese wurden unter heiligen Bäumen bestattet. Man nimmt an, dass sie später ausgegraben und bei zukünftigen Zeremonien eingesetzt wurden. Die Büste visualisierte zwei Aspekte der Königsrolle. Einerseits kommuniziert die Krone seine übermenschliche Göttlichkeit und die Rolle in der Thronfolge der Yoruba-Könige; andererseits wurden seine Sterblichkeit und seine Individualität durch die unglaublich feine Darstellung der Knochenstruktur und seiner zarten Haut kommuniziert.

Kronen treten im Laufe der Kunstgeschichte in den verschiedensten Formen auf. Im Alten Ägypten symbolisierte eine weiße Krone die Herrschaft über Oberägypten, während eine rote Krone für Unterägypten galt – und eine Doppelkrone stand für die Herrschaft über beide Territorien. Shiva, buddhistische Gottheiten und andere mythologische Herrscher-Götter tragen kronenähnliche Kopfbedeckungen. In der christlichen Kunst kann eine Krone prächtig sein, wie in den Szenen der Krönung der Jungfrau Maria im Him-

Unbekannter Künstler
Kopf, möglicherweise eines Königs (Ife),
12.–14. Jahrhundert
Terrakotta mit Rückständen von rotem Pigment und Spuren von Glimmer,
26,7 cm x 14,5 cm x 18,7 cm
Kimbell Art Museum, Fort Worth

Die Grazie und Realitätstreue der Gesichtszüge in diesem Porträt lenken etwas von der Krone ab, doch der Kopfschmuck ist für das Volk der Yoruba von symbolischer Bedeutung.

Werkstatt des Aelbert Bouts
Christus als Schmerzensmann, ca. 1525
Öl auf Eiche,
44,5 cm x 28,6 cm
Metropolitan Museum of Art, New York

Bouts gestaltete das Leiden Jesu lebendiger, indem er die Dornen unnatürlich lang darstellte und die geröteten Augen und die Tränen auf Seinen Wangen hervorhob.

mel, oder tragisch wie die Dornenkrone als Symbol der Kreuzigung Jesu Christi. In der europäischen Allegorie ist ein Lorbeerkranz die Krone des Sieges, in einem Vanitas-Bild kann er die Vergeblichkeit weltlicher Macht demonstrieren.

Bouts' Gemälde ist eine solche Darstellung der Dornenkrone, eines der inhaltsschwersten Symbole von Demut in der christlichen Ikonografie. Es zeigt die Ergebnisse der Passionsgeschichte – jener Reihe von Ereignissen, die mit der Übergabe Jesu an Seinen Richter begann und mit Seiner Hinrichtung endete. Es wurde sehr realistisch gemalt: Jede Haarsträhne auf dem Kopf wurde einzeln gemalt, und bläuliche Linien auf der Stirn deuten an, wo sich die Dornenkrone unter die Haut gegraben hatte. In dieser einfachen Szene braucht es nicht mehr als die Krone, den Heiligenschein, Blut und die Geste der Hand, um die Bedeutung des Bildes zu kommunizieren.

Diese nicht-narrative Art von Bild, auf dem der Fokus auf dem physischen und mentalen Leiden Jesu liegt, ist als »Schmerzensmann« bekannt. Nach schriftlicher Überlieferung wurde die Dornenkrone Jesus von seinen römischen Häschern zum Spott aufgesetzt, sie kleideten ihn in falsche Kaisergewänder und führten an ihm eine ironische Krönung durch – mit dem Refrain:»Heil Dir, König der Juden.« Das Motiv der Dornenkrone wurde seit dem späten Mittelalter in der Kunst äußerst populär, als sich die religiösen Schriftsteller und Maler Europas auf die Episoden des Leidens Jesu Christi fixierten.

WICHTIGE KUNSTWERKE

- *Statue des krokodilköpfigen Gottes Sobek*, ca. 664–332 v. Chr., Louvre, Paris, Frankreich
- *Benin-Plakette*, 16. Jh., British Museum, London, Großbritannien
- Anthonis van Dyck, *Krönung mit der Dornenkrone*, 1618–1620, Museo del Prado, Madrid, Spanien
- Jacques-Louis David, *Le Sacre de Napoléon*, 1805, Louvre, Paris, Frankreich

MASKE

Artemisia Gentileschi
*Selbstbildnis als Allegorie
der Malerei,*
ca. 1638–1639
Öl auf Leinwand,
96,5 cm x 73,7 cm
Royal Collection,
Hampton Court Palace

Masken können die Imitation, die Vorspiegelung von Leben symbolisieren. In Artemisia Gentileschis Gemälde fokussiert der Maskenanhänger die Palette und die Pinsel der Malerin – die Werkzeuge ihrer Kreativität.

Masken werden in allen Weltkulturen mit Kreativität, Ritualen und Performances verbunden. Artemisia Gentileschi trägt eine auf ihrem *Selbstbildnis als Allegorie der Malerei* (gemalt in London): Allerdings bedeckt diese Maske nicht ihr Gesicht. Es handelt sich dabei um ein Schmuckstück – einen Kettenanhänger, der frei hängt, während sie sich zum Malen nach vorn beugt. Gentileschi verwendete dieses winzige Symbol, denn es gehörte für sie zur Ausstattung der konventionellen, kunsthistorischen Personifikation der Kunst der »Malerei«. Andere Utensilien wären ein Mundknebel, um zu demonstrieren, dass die Malerei eine stumme Kunst ist, ein Changeant-Kleid, um den Einsatz von Farbe zu zeigen, ein Pinsel und eine Palette und eine schwitzende Braue, um das Engagement des Künstlers zu demonstrieren (wie bei van Dyck in seinem Selbstbildnis auf S. 59). Diese Attribute der Malerei – oder *Pittura* – wurden in einem Wörterbuch der allegorischen Figuren definiert, der sogenannten *Iconologia* von Cesare Ripa, das erstmals 1593 erschien. Ripa rekonstruierte das Buch seiner Allegorien aus verschiedenen historischen Quellen, darunter das klassische Griechenland, wo Masken in Theatervorführungen verwendet wurden: Damit deutete er an, dass Maler wie Künstler trainieren sollten, das Leben widerzuspiegeln.

Selbstbildnisse zeigen meist den Maler von vorn. Das ist sowohl auf die Tradition als auf gesunden Menschenverstand zurückzuführen: Es ist deutlich leichter, seine eigenen Gesichtszüge von einem Spiegelbild abzumalen. Artemisia entschied sich für eine kompliziertere Pose, sie lehnte sich zum Betrachter, das Gesicht leicht abgewinkelt. Sie kann sich selbst nur in einem ausgeklügelten Spiegelsystem gesehen haben. Das schwere Los der Künstler liegt dem Bild als Thema zugrunde. Ihre Palette ist zu uns geschoben, sie greift sie fest mit der Faust, die auf poliertem Stein ruht – ein Material, auf dem Maler üblicherweise ihre Pigmente mahlen. Sie trägt eine braune Schürze, der rechte Arm und die Hand sind muskulös, was auf ein Leben schwerer Handarbeit deutet. Es ist aufschlussreich, dass Artemisia nicht den von Cesare Ripa vorgeschlagenen Knebel verwendet. Das hätte Unterwürfigkeit bedeutet – und passt nicht zu der Botschaft, die diese Malerin in einer von Männern dominierten Kunst überbringen wollte.

Artemisias Pinsel eilt über die Leinwand: Sie zeigt sich selbst in diesem minimalen Moment zwischen Beobachtung und Aufzeichnung. Das ist das Aufregendste, Verführerischste und zugleich Frustrierendste daran, ein Maler zu sein – wie setzt man mit dem Pinsel ein Zeichen so, dass es akkurat und bedeutungsvoll einen Aspekt dieser veränderlichen realen Welt zeigt: Wie nutzt man Imitation, um echte Ideen zu beschreiben? Die Maske in *Pittura* erinnert an diesen Kampf. Cesare Ripa formulierte das so:»Imitation ist ein Diskurs, der, auch wenn er falsch ist, mithilfe von etwas Wahrheit geführt wurde.«

Masken wurden auch im japanischen Schauspiel verwendet, und das Masken-Netsuke am Metropolitan Museum zeigt die Theatermaske eines weiblichen dämonischen Charakters aus den Nō- und Kyōgen-Dramen. Japanische Netsukes sind figürliche Skulpturen, die an den traditionellen Roben japanischer Männer befestigt werden.

WICHTIGE KUNSTWERKE

- *Goldene Maske von Agamemnon* (griechisch), ca. 1550–1500 v. Chr., Nationales Museum für Archäologie, Athen, Griechenland
- *Terrakotta-Theatermaske* (römisch), 3.–2. Jh. v. Chr., British Museum, London, Großbritannien
- *Maskenanhänger der Königin-Mutter* (Iyoba), 16. Jh., Metropolitan Museum of Art, New York, USA
- Nicolas Poussin, *Der Triumph des Pan*, ca. 1635, National Gallery, London, Großbritannien

Unbekannter Künstler
Masken-Netsuke, 19. Jh.
Holz, Höhe 3,2 cm
Metropolitan Museum of
Art, New York

Dieses Netsuke zeigt
eine Maske, die von
Hannya getragen worden
wäre, einer dämonischen
Inkarnation der weib-
lichen Eifersucht im ja-
panischen Theater. Trotz
ihrer geringen Größe sind
die Gesichtsmuskel mit
großer Liebe zum Detail
ausgearbeitet.

WAAGE

Waagen sind fast immer in den Händen einer Person dargestellt –
sie sind das Symbol des Urteils, erweitert zur Gleichmut, Balance
und Ehrlichkeit des Beurteilenden oder Richters. Osiris beim
Aufwiegen der Seelen am Jüngsten Tag war ein verbreitetes Motiv
der ägyptischen Bildsprache: Ein menschliches Herz (für die Seele)
wurde gegen eine Feder aufgewogen – wenn es schwerer war,
wurde man verdammt, war es leichter, konnte man auf ein Leben
nach dem Tode hoffen. In der christlichen Ikonografie wird der
heilige Michael häufig mit einer Waage in Szenen des Jüngsten Gerichts dargestellt, wobei er die Seelen der Verstorbenen wiegt und

Jan Vermeer
Frau mit Waage, ca. 1664
Öl auf Leinwand,
39,7 cm x 35,5 cm
National Gallery,
Washington,

Vermeer lenkt unseren Blick vorsichtig auf die Waage, indem er sie im Fluchtpunkt der Komposition platziert und mit den mittleren Vertikalen des Bildrahmens und des Tischbeins ausrichtet.

in den Himmel oder die Hölle schickt. Diese Rolle wurde zuweilen auch Hermes/Merkur aus der griechisch-römischen Kunst zuteil. Eine Waage ist auch mit Allegorien der Gerechtigkeit zu sehen, ebenso mit einem der vier apokalyptischen Reiter.

Die Waagschalen pendeln in Vermeers Gemälde in fast neutraler Position, während die Frau in dieser makellosen holländischen Umgebung still zuschaut. Das Gemälde demonstriert die bemerkenswerte Kunst des Malers beim Umgang mit Ölfarbe, vor allem die Darstellung von Licht durch getupfte, gestrichene und gespritzte Pigmente, die glänzende Oberfläche darzustellen vermögen. *Frau mit Waage* zeigt keinen großen Moment in der Geschichte oder Religion, sondern im Alltag: ein Einblick in ein normales Zimmer im Holland des 17. Jahrhunderts. Doch durch die Symbolik der Waage im Zusammenhang mit dem Jüngsten Gericht auf dem Bild im Hintergrund scheint die Botschaft etwas tiefer zu liegen.

Vermeer war ein katholischer Maler im protestantischen Holland. Er hatte nicht die Möglichkeit, prestigeträchtige, von der Kirche in Auftrag gegebene religiöse Szenen zu malen, denn der Protestantismus verabscheute die Kunst als Götzendienst. Darum versteckte Vermeer seine christlichen Ideen in Alltagsszenen, dem populärsten Genre der reichen und kunsthungrigen holländischen Händler und Geschäftsleute. *Frau mit Waage* kann als Darstellung einer Alltagsszene gelten, könnte aber auch eine Allegorie der Eitelkeiten im Leben sein. Eine respektabel gekleidete Frau, die ihre Augen auf den Spiegel gegenüber senkt, kann als Tugend gelten. Die Waage im Zentrum der Komposition trennt die materialistische von der spirituellen Hälfte der Szene. Inzwischen pendeln sich die Waagschalen zwischen den beiden ein, während wir als Beobachter darüber nachsinnen, wohin unsere Seelen gehören.

WICHTIGE KUNSTWERKE

- *Seite aus dem Ägyptischen Totenbuch*, ca. 1275 v. Chr., British Museum, London, Großbritannien
- Einem Maler aus Syrakus zugeschrieben, *Hermes-Psychostasie*, ca. 490–480 v. Chr., Keramikvase, Museum of Fine Arts, Boston, USA
- Hans Memling, *Das Jüngste Gericht*, ca. 1471, Nationalmuseum, Danzig, Polen
- Albrecht Dürer, *Apokalypse*, 1497–1498, British Museum, London, Großbritannien

SCHWERT

In der Kunstgeschichte der westlichen Welt steht ein Schwert für männlichen Mut, Autorität und Gerechtigkeit, im Buddhismus und Daoismus repräsentiert es spirituelle Intelligenz durch das Abtrennen von Ignoranz und dem Bösen. Als Waffe der Könige und des Adels kennzeichnet es deren Recht auf Herrschaft, ebenso dazu, Ehre zu verteidigen und zu gewähren – was bis heute in formellen Insignien und Zeremonien des Ritterschlags erhalten geblieben ist.

Der Heilige Michael triumphiert über den Teufel (rechts), vermutlich aus der Mittelplatte eines Altars, verwendet konventionelle Ikonografie. Es wurde in Spanien kurz vor dem Höhepunkt der *»Reconquista«* gemalt, in der die muslimische Bevölkerung (die es in Spanien seit dem 8. Jahrhundert gab) von den Christen besiegt wurde. Die Analogie zwischen diesem Ereignis und dem Motiv des Gemäldes ist offensichtlich: Erzengel Michael kämpft für Gott gegen die rebellischen Engel des Satans – in diesem Fall dargestellt als unheimlicher Dämon. Das Schwert, mit dem sich Michael anschickt, den Satan zu besiegen, ist ein Symbol göttlicher Gerechtigkeit.

In der rechten Tafel von Kara Walkers *40 Acres of Mules* (umseitig) hängt ein Schwert am Gürtel des Offiziers der konföderierten Truppen. Doch wie alles in diesem Bild und im Schaffen von Kara Walker allgemein wurde die Ikonografie satirisch abgewandelt.

Walker ließ sich von einem riesigen Steinrelief an der Flanke des Stone Mountain im Bundesstaat Georgia inspirieren, das die drei konföderierten Herrscher aus dem Bürgerkrieg zeigt: Jefferson Davis, Robert E. Lee und »Stonewall« Jackson. Stone Mountain Park wurde ein regelmäßiger Begegnungsort für den Ku-Klux-Klan, wo Kreuze verbrannt werden. Der Titel von Walkers Zeichnung ist eine Referenz an die Phrase »40 Acres und ein Maultier« – ein Versprechen an befreite Sklaven in den 1860er-Jahren, das ihnen Land und Vieh zusagte – ein Versprechen, das immer wieder gebrochen wurde.

Walker stützt sich in ihrer Zeichnung auf konventionelle Darstellungen der Kreuzigung. Das Format eines Tryptichons kennt man aus Altären in Europa, und die mittlere Tafel mit einer gelynchten Figur unter dem Kreuz der Konföderierten-Flagge, die in seine Seite gestochen ist, zieht Parallelen zu Jesus Christus. Mitglieder des

Bartolomé Bermejo
*Der Heilige Michael
triumphiert über den Teufel,*
1468
Öl und Gold auf Holz,
179,7 cm x 81,9 cm
National Gallery, London

**Die kniende Figur ist der
Mäzen dieses Gemäldes,
Antoni Joan, Herr der
Stadt Tous nahe Valencia.
Sein Blick fokussiert das
Schwert des heiligen
Michael, das auf den
Drachen gerichtet ist.
Er selbst hält in der
Armbeuge ein kleineres
Schwert zum Zeichen
seines Adelsstandes.**

Ku-Klux-Klan, weiße Soldaten, Frauen, Esel und sich aufbäumende Pferde stehen für die Heiligen und die römischen Häscher. Doch alle Pracht, die wir mit der Kreuzigung verbinden, wurde hier zu einer ungezügelten Orgie von Entmannung, sexueller Gewalt und rassistischem Sadismus reduziert.

Nach Kara Walker steht der gequälte schwarze Körper in der Mitte der Komposition für:

eine substanzielle soziale, psychologische, sexuelle Bedrohung, die zerstört werden musste bzw. zerstört wurde. Selbst der Tod des Schwarzen reichte nicht aus, um die Weißen zu befriedigen. Dieser Körper steht stellvertretend für alle, die unterdrückt oder dieser Art Psycho-Sexualterror ausgesetzt werden.

Kara Walker
40 Acres of Mules, 2015
Kohle auf Papier,
Triptychon, Tafeln
verschiedener Größe,
v.l.n.r:
264,2 cm x 182,9 cm
261,6 cm x 182,9 cm
266,7 cm x 182,9 cm
Museum of Modern Art
(MoMA), New York

Das Schwert in der Hülle im rechten Bild ist ein jämmerlich ironisches Symbol: kein Instrument der Ehre und Integrität mehr, sondern eine Waffe rassistischer Brutalität.

WICHTIGE KUNSTWERKE

- Donatello, *Reiterdenkmal des Gattamelata*, 1453, Piazza del Santo in Padua, Italien
- *Die Schlacht von Badr,* aus Mustafa Darirs *Siyar-I Nabi (Leben des Propheten)*, ca. 1594, Manuskript, British Museum, London
- Artemisia Gentileschi, *Judith enthauptet Holofernes*, ca. 1611–1612, Nationalmuseum von Capodimonte, Neapel, Italien
- Jean-Michel Basquiat, *Warrior*, 1982, Privatsammlung

TROMPETE

Eines Morgens in der Frühe
wird Gott nach Gabriel rufen,
diesem großen, gewaltigen Engel Gabriel,
und Gott wird sagen zu ihm: Gabriel,
blas deine silberne Trompete
und wecke die lebenden Völker.
Und Gabriel wird ihn fragen: Herr
wie laut soll ich sie blasen?
Und Gott wird sprechen zu ihm: Gabriel,
blase sie ruhig und leicht.
Da, mit einem Fuß auf dem Bergesgipfel
und mit dem andern inmitten des Meeres
wird Gabriel stehen und blasen sein Horn,
zu wecken die lebenden Völker.

Dies ist ein Fragment aus James Weldon Johnsons Gedicht *Das Jüngste Gericht* von 1927, inspiriert durch die rhetorischen Fähigkeiten eines schwarzen Evangelisten in Kansas City (Übersetzung: R. Hagelstange, Gast der Elemente). Aaron Douglas war ein Freund und Mitglied der Harlem Renaissance und wurde von Johnson gebeten, seine Verse zu bebildern. Douglas' Gemälde zeigt den Erzengel Gabriel, der inmitten von Blitzen und Meeresstürmen seine Trompete bläst, um die Seelen der Welt zum Jüngsten Gericht zu rufen. Douglas' Stil stand unter dem Einfluss von Kubismus und Futurismus, außerdem afrikanischer Bildhauerei und ägyptischer Bilddarstellung. Leicht zu erkennen ist die Umsetzung der Kadenz in Johnsons Vers durch seine kinetischen Farbbänder und den bestimmten, dominanten Protagonisten.

Außer in Bildern von Engeln, die das Jüngste Gericht verkünden, dienen Trompeten generell als Symbol der Überbringung von Botschaften. In der Kunst Europas ist die Trompete das Attribut der Allegorie des Ruhms, der Musen wie Clio und der Herolde in römischen Triumphzügen. Der Meeresgott Triton wird häufig mit einer Schneckenmuschel als Trompete gezeigt, während er vom Ruhm seines Meisters Neptun/Poseidon kündet.

Aaron Douglas
The Judgement Day, 1939
Öl auf Sperrholz,
121,9 cm x 91,4 cm
National Gallery,
Washington

Der riesige Engel in Douglas' Gemälde bläst eine Trompete entsprechend der Beschreibung der Apokalypse in der Offenbarung. Dort wird beschrieben, wie am Tag des Jüngsten Gerichts sieben Trompetenstöße das Ende der Welt verkünden werden, von denen jeder ein kataklysmisches Ereignis einleitet.

WICHTIGE KUNSTWERKE

- *Dervish with Horn and Begging Bowl* (Iran), frühes 17. Jh.,
  British Museum, London, Großbritannien
- Sir Edward Coley Burne-Jones, Bt, *The Golden Stairs*, 1880,
  Tate, London, Großbritannien
- Wassily Kandinsky, *All Saints I*, 1911, Städtische Galerie im
  Lenbachhaus, München
- Max Beckmann, *Carnival*, 1920, Tate, London, Großbritannien

ZEITANZEIGEN

Das erste Mal, dass ein Stundenglas in der europäischen Kunst auf-
tauchte, war im Mittelalter. Die symbolische Bedeutung ist klar: Es
demonstriert, wie die Zeit vergeht, die Vergänglichkeit des Lebens
und die Unausweichlichkeit des Todes. Chronometer, Sonnenuhren,
Uhren und andere Zeitanzeigen haben eigentlich immer dieselbe
Bedeutung. Solche Gegenstände tauchen häufig in Vanitas-Ge-
mälden und in den Händen der Personifizierung von Mäßigung, Tod
oder Zeit auf.

Ein Stundenglas ist in der rechten oberen Ecke von *Melencolia I*,
zu sehen, geschaffen 1517 in Nürnberg. Es ist eines der wenigen
Symbole, die Dürer in seinen *Meisterstichen* verwendete, neben
Melencolia I gehören dazu zwei weitere zeitgenössische Stiche:
Ritter, Tod und Teufel (1513) und *Der Heilige Hieronymus im Gehäus*
(1514). Es hatte eine besondere Bedeutung.

Melencolia I inspirierte eine endlose Debatte und ist bis heute
noch mysteriös geblieben. Es ist ein anregendes Bild, das den Betrachter einerseits mit einem meisterhaften Kupferstich verwöhnt,
andererseits jedoch so voll komplexer und rätselhafter Symbole ist,
darunter das Stundenglas. Selbst die grundlegendsten Fragen blei-
ben ungeklärt, wie die Identität der Hauptfigur, die ein Engel oder
eine Allegorie sein könnte. Wäre es Letztere, ergäben sich noch
mehr Ungereimtheiten: Die Gelehrten sind sich nicht einig, was
sie darstellt: Melancholie oder Geometrie – oder ein völlig anderes
Konzept.

Warum sie so traurig ist, ist ebenfalls unbekannt, ebenso die Ereignisse am Himmel, die entweder einen Kometen oder Mondschein
zeigen könnten. Schriftsteller spekulierten über Dürers Inspiration,
darunter die Ideen von Kopernikus, Alchemie, platonische Philosophie, medizinische Schriften und Astrologie. Allem zugrunde liegt
die Unsicherheit über die Symbolik des Bildes, in der das Stundenglas eine ebenso mysteriöse Rolle spielt. Ist es ein Werkzeug zum
Messen, Analysieren und Schöpfen, wie die anderen Gegenstände

Dürer
Melencolia I, 1514
Kupferstich,
24,2 cm x 18,8 cm
National Gallery,
Washington

**Dieser Stich ist voller
Doppeldeutigkeiten,
aufgrund derer Wissen-
schaftler andeuteten,
das Bild sei absichtlich
unlösbar – ein Witz über
die Grenzen des Symbo-
lismus und der Allegorie.
Ist das Stundenglas ein
Symbol der begrenzten
Zeit?**

Hannah Höch
Das Schöne Mädchen,
1920
Fotomontage,
35 cm x 29 cm
Privatsammlung

Die Zeiger der Uhr sind
ein Memento mori, das
uns an die leblosen Ge-
wohnheiten der Industrie
erinnert: die Regelmäßig-
keit des Arbeitsalltags
und der Druck der
Produktivität.

in der Szene? Ist es der Grund für die Trauer oder ein Trost, dass Frustration mit der Zeit vergeht? Hannah Höchs *Das schöne Mädchen* zeigt moderne Ikonografie, frisch für das 20. Jahrhundert, denn hier sind Unternehmenslogos, eine Kurbelwelle, ein Gummireifen, eine Glühlampe, moderne Damenmode und eine Taschenuhr miteinander kombiniert. Es zeichnet für uns die sich verändernde Rolle der Frau in der mechanisierten und schnell veränderlichen Welt der Weimarer Republik auf. Frauen wurden zunehmend als Arbeitskräfte entdeckt, dennoch wurde von ihnen die Ausfüllung der traditionellen weiblichen Rollen erwartet.

Der Konflikt zwischen stereotypem Bild einer jungen Frau im Schwimmanzug und ihrer industriellen Umgebung drücken die Fluktuation dieser gesellschaftlichen Rollen aus. Die Revolution wird in diesem Bild außerdem mit jedem Rad und Zahnrad gezeigt, das in Bewegung ist: selbst die BMW-Logos, die ursprünglich einen weißen Propeller vor einem blauen Himmel darstellen sollten. Das Ziffernblatt der Taschenuhr ist unverstellt, im Gegensatz zu den Menschen, und erfüllt dieselbe Funktion wie das Stundenglas in Dürers *Melencolia I* – es symbolisiert ein beklemmendes Werkzeug der Messung und Erwartung gleichermaßen.

WICHTIGE KUNSTWERKE

- Nicolas Poussin, *Der Tanz des menschlichen Lebens*, ca. 1634–1636, Wallace Collection, London, Großbritannien
- Harmen Steenwyck, *Eine Allegorie der Eitelkeiten des Menschen*, ca. 1640, National Gallery, London, Großbritannien
- Dante Gabriel Rossetti, *La Pia de' Tolomei*, 1868–1880, Spencer Museum of Art, Lawrence, USA
- Salvador Dalí, *Die Beständigkeit der Erinnerung*, 1931, Museum of Modern Art (MoMA), New York, USA

SPIEGEL

Spiegel finden bei Künstlern besondere Resonanz, in den unterschiedlichsten Regionen, zu verschiedensten Zeiten – und das nicht nur, weil sie ihnen bei der Arbeit helfen, sondern weil sie denselben Dienst tun wie ein Maler: Sie spiegeln ihre Umgebung wider. Die frühesten Spiegel sind aus dem 6. Jahrtausend v. Chr. bekannt, damals aus polierten Obsidian-Tafeln, einem Stein, der aus Vulkanen stammt und in der neolithischen Siedlung von Çatalhöyük in der Türkei gefunden wurde. Die ersten Gemälde mit Personen, die einen Spiegel halten, stammen aus dem Alten Ägypten, ca. um das 2. Jahrtausend v. Chr. In der späteren griechisch-römischen Bildhauerei wurde Aphrodite/Venus, die Göttin der Liebe, mit einem Spiegel gezeigt, in dem sie ihre eigene Schönheit bewunderte.

Über die Zeit wurden Spiegel mit verschiedenen Lastern und Tugenden in der europäischen Kunst in Verbindung gebracht, darunter Eigenschaften wie Wahrheit und Reinheit (denn der Spiegel reflektiert ohne Leidenschaft); im Gegensatz dazu jedoch auch Eitelkeit (denn er ermutigt zur Selbstbesessenheit). Spiegel wurden in Europa auch für okkulte Praktiken eingesetzt, wobei Wahrsagerinnen in den nebulösen Reflexionen nach Zeichen einer Prophezeiung suchten. In Asien hielt man Spiegel für magische Instrumente, um die Seele des Betrachters zu erkennen, sie wurden häufig mit glückverheißenden Motiven dekoriert. In Japan ist ein Spiegel eine der drei heiligen Reliquien des Kaisers.

Als Diego Velázquez die Göttin Aphrodite/Venus malte, brach er mit einigen Konventionen des Genres. Eine Frau von hinten abzubilden, war eine solche Innovation (eine Venus zeigte man von vorn wie in *Venus in der Muschel* auf S. 138), ebenso ihre Verzerrung im Spiegel, den ihr Sohn Amor/Eros hält. Eigentlich schaut sie eher

Diego Velázquez
Venus vor dem Spiegel,
ca. 1647–1651
Öl auf Leinwand,
122 cm x 177 cm
National Gallery, London

Statt die fabelhafte
Schönheit der Venus
zu beschreiben, zeigte
Velázquez sie unscharf,
entweder um zu unter-
streichen, dass sie für
Sterbliche ohnehin un-
erreichbar war, oder aus
privaten Gründen, viel-
leicht, um die Identität
der Frau zu verschleiern,
die ihm Modell gestanden
hatte.

Unbekannter Künstler
*Mosaikschädel von
Tezcatlipoca* (aztekisch),
ca. 15.–16. Jh.
Türkis, Pyrit, Pinie, Lignit,
Menschenknochen,
Hirschleder,
Schneckenmuschel
und Agave
19 cm x 13,9 cm x 12,2 cm
British Museum, London

Obsidianspiegel werden
normalerweise auf dem
Gesicht von Tezcatli-
poca gezeigt, doch hier
stellen das glänzende
Mosaik und die polierten
Pyrit-Augen die wahr-
sagerischen Kräfte der
Gottheit dar.

uns an als sich selbst, eine provokante Umkehrung unseres eigenen Starrens.

Der magische Aspekt des Spiegels kommt in dem *Mosaikschädel des Tezcatlipoca* zum Ausdruck. Dieser aztekische Gott – der Herr des rauchenden Spiegels – war eine der wichtigsten Gottheiten und Feind von Quetzalcoatl. Er war der mächtige Gott des schwarzen Obsidian. Opfermesser wurden aus Obsidian hergestellt, es wurde jedoch auch für »schwarze Spiegel« verwendet, die später bei Sehern in Europa sehr beliebt waren. Als Ergebnis all dieser Assoziationen wurde Tezcatlipoca als Ursprung des Menschenopfers angesehen, der Meister des Schicksals und Besitzer übernatürlicher Einblicke.

WICHTIGE KUNSTWERKE

- Jan van Eyck, *Die Arnolfini-Hochzeit*, 1434, National Gallery, London, Großbritannien
- Tizian, *Venus mit Spiegel*, 1555, National Gallery, Washington, USA
- Caravaggio, *Martha und Maria Magdalena*, 1598, Detroit Institute of Arts, USA
- Joan Jonas, *Mirror Piece I*, 1969, Guggenheim Museum, New York, USA

-

Der Mensch durchschreitet Wälder von Symbolen, die, ihn betrachtend, mit vertrautem Blick begegnen.

-

Baudelaire
1857

GLOSSAR

Agni: Dieses Wort bedeutet in Sanskrit »Feuer«, bezieht sich jedoch auch auf den Hindu-Gott des Feuers in der sakralen Flamme.

Alchemie: Vorgänger der modernen Chemie; beschäftigte sich mit der Veränderung von Materialien und der Verwandlung von Alltagsstoffen in Gold. Alchemisten nutzten ein System von Symbolen, die zuweilen in der Kunst angewendet wurden.

Allegorie: In der Kunst eine Darstellung von Konzepten (wie Emotionen, Nationen oder Fähigkeiten) durch eine andere Form wie eine menschliche Figur oder ein entsprechendes Objekt.

Apsara: Tanzendes Mädchen in der indischen Kunst – ursprünglich Geister der Wolken und des Wassers, häufig zu sehen als wasserspeiende und musizierende Nymphen.

Assyrisch: Bezug auf die Stadt Assur (gelegen im heutigen Nord-Irak) und die Kaiserreiche, das mächtigste war das neo-assyrische Reich vom 7. bis .9 Jahrhundert v. Chr.

Attribute: Die Objekte, die von Allegorien, Gottheiten und anderen religiösen Figuren gehalten werden, um für den Betrachter erkennbar zu sein.

Aureole: Lichtschein um einen Kopf oder eine ganze Figur.

Aztekisch: Bezeichnung für die Völker Mexikos zwischen dem 14. und 16. Jahrhundert.

Babylonisch: Bezug auf die antike Stadt Babylon und das babylonische Reich. Die Stadt lag auf dem Gebiet des heutigen Irak und hatte ihre Blütezeit im 7. und 6. Jahrhundert v. Chr.

Barock: Stil aus dem 17. Jahrhundert in Europa, der in Rom begann. Typisch waren der dramatische Einsatz von Raum, psychologischer Wirkung und das vermittelte Gefühl von Bewegung und Größe.

Bodhisattva: Erleuchtete Person Buddhismus, die sich jedoch für ein Leben unter den Sterblichen entschieden hat, um ihnen zum Heil zu verhelfen.

Dharmachakra: Radförmiges Motiv aus Indien, zu sehen sowohl
in der Kunst der Hindu als auch der Buddhisten, um Veränderung,
Weisheit und den Zyklus der Zeit darzustellen.

Emblemata: Lehrbücher, die Symbole in der visuellen Kunst defi-
nieren. Das erste stammt von dem Italiener Andrea Alciato aus dem
Jahr 1531. Eine Art Symbol-Wörterbuch für Künstler.

Fluchtpunkt: In Bildern mit räumlicher Tiefe, die aus einem
Punkt herrührt, verlaufen parallele Linien vom Betrachter, die
sich in einem Punkt zu treffen scheinen, der vom Betrachter am
weitesten entfernt ist. Der Schnittpunkt wird als Fluchtpunkt
bezeichnet.

Füllhorn: Horn, übervoll mit Blumen, Gemüse und Früchten,
Symbol für Überfluss.

Futurismus: Italienische Kunstbewegung im frühen 20. Jahrhundert, die sich die Geschwindigkeit und Macht der modernen
Technologie zum Motiv nahm.

Hieroglyphen: Schriftsprache aus Zeichen und Bildern zur Darstellung von Worten und Silben, vor allen im antiken Ägypten.

Ichthys: Fisch-Symbol für Christentum.

Ikonografie: Kunsthistorische Untersuchung von Kunstmotiven und
ihrer Interpretation, darunter dem Studium der Symbole.

Kubismus: Stil, der von Pablo Picasso und Georges Braque zu
Beginn des 20. Jahrhunderts eingeleitet wurde und das Leben aus
mehreren Perspektiven gleichzeitig zeigt, indem er die natürliche
Form in geometrische Strukturen aufbricht; erstmals Einsatz von
Collagen.

LGBTQ-Bewegung: Bewegung für die Rechte von Lesben,
Schwulen, Bisexuellen, Transgender und anderen Geschlechtern
und sexuellen Orientierungen.

Mandorla: Mandelförmige Aura um den Körper einer Gottheit.

Memento mori: Symbol für den Tod, z. B. durch einen Schädel, das den Übergang vom Leben zum Tod und die Unvermeidbarkeit des Todes nahelegt.

Mithraismus: Religion basierend auf der Verehrung für die persische Gottheit Mithra, die vor allem unter den Völkern des Römischen Reiches zwischen dem 1. und 3. Jahrhundert v. Chr. beliebt war.

Mogulreich: Muslimische Dynastie, die von 1526 bis 1857 im Norden Indiens herrschte.

Personifikation: Konzept dargestellt als menschliche Form.

Piktogramm: Symbol aus der Zeichensprache, das einen Umstand in erkennbarer Form darstellt, z. B. ein Kreuz als Zeichen einer Kreuzung.

Präkolumbianisch: Periode und Kulturen in Amerika vor der Ankunft von Christopher Kolumbus und anderen Forschern aus Europa.

Präraffaeliten: Britische Kunstbewegung, die Kunst des Mittelalters und der frühen Renaissance nachahmte und die Sprache der Symbole in der Malerei priorisierte.

Putto: Figur, die gewöhnlich in Europa zu finden ist und die Lust und Verspieltheit als Kleinkind zeigt.

Rebus: Bilderrätsel, in dem ein Wort oder eine Phrase durch ein Bild oder eine Bildfolge dargestellt ist. Man löst es, indem man die Bilder laut ausspricht.

Renaissance: Periode künstlerischer und intellektueller Entwicklung, inspiriert durch die Klassik in Europa zwischen 1400 und 1580. Die berühmtesten Künstler sind Michelangelo, Leonardo da Vinci, Raffael und Dürer.

Royal Academy: Eine Akademie ist eine Kunstschule, die erste entstand in der Renaissance. Der klassische Stil wurde in diesen Institutionen als ideales Modell angesehen. In manchen Ländern wurden die Akademien durch die Monarchie unterstützt.

Shinto: Indigene japanische Religion basierend auf der Hingabe zu unsichtbaren Geistern, den *kami*.

Sumerisch: Bezug auf das Volk der Sumerer, heute Süd-Irak, dessen Städte und Kulturen zwischen ca. 3500 und 1900 v. Chr. ihre Blütezeit erlebten.

Surrealismus: Kunstbewegung aus dem 20. Jahrhundert, inspiriert durch Psychologie und die Faszination für Träume und die Irrationalität des menschlichen Geistes.

Udjat-Auge (Horusauge): Stilisiertes Motiv aus dem antiken Ägypten; zeigt das Auge des Horus, dem heilende Kräfte zugeschrieben wurden.

Ukiyo-e: »Bilder einer fließenden Welt« – Genre der japanischen Malerei zwischen 17. und 19. Jahrhundert. Diese beliebte Kunstrichtung konzentrierte sich auf Alltagsleben, Landschaften und Motive aus Folklore und Legenden.

Uräusschlange: Motiv einer sich aufbäumenden Kobra auf dem Kopfschmuck eines ägyptischen Pharaos, um seine Macht zu herrschen zu kennzeichnen.

Vajra: Symbolische Waffe im Buddhismus und Hinduismus, die das Bild von Blitz und Diamant in sich vereint.

Vanitas: Kunst oder Symbol in einem Werk, das an Sinnlosigkeit weltlichen Besitzes, Reichtums und Erfolgs auf Erden erinnert.

Videokunst: Kunstrichtung, die ein aufgezeichnetes Bewegtbild als Medium verwendet (als Video oder TV).

Yin und Yang: Dualismus der Kräfte in der alten chinesischen Philosophie, der sich in Paaren wie Schwarz und Weiß, Hell und Dunkel, Negativ und Positiv und Mann und Frau äußert. Die Einheit dieser Kräfte soll für Harmonie sorgen.

Zoroastrianismus: Antike (doch bis heute praktizierte) persische Religion basierend auf den Lehren des Propheten Zoroaster (auch bekannt als Zarathustra). Den Beginn des Zoroastrianismus zu benennen, ist problematisch – er könnte um 100 v. Chr. oder früher begonnen haben, wobei manche Gelehrte seinen Beginn auf Ende des 7. oder 6. Jahrhunderts v. Chr. datieren.

LITERATUREMPFEHLUNGEN

Battistini, Matilde, *Das große Bildlexikon der Symbole und Allegorien* (Parthas Verlag Berlin, 2012)

Cooper, J. C., *Illustriertes Lexikon der traditionellen Symbole* (Drei Lilien, 2000)

Gogh, Vincent van, *Briefe* (Reclam Verlag, 2019)

Gombrich, Ernst, *Das symbolische Bild. Zur Kunst der Renaissance* (Klett-Cotta, 1986)

Hall, James, *Hall's Dictionary of Subjects and Symbols in Art* (Routledge, London, 2014)

Hall, James, *Hall's Illustrated Dictionary of Symbols in Eastern and Western Art* (Routledge, London, 1997)

Jean, Georges, *Signs, Symbols and Ciphers: Decoding the Message* (Thames & Hudson, London, 2004)

Jung, C. G., *Der Mensch und seine Symbole* (Patmos Verlag, 2012)

Morris, Desmond, *Postures: Body Language in Art* (Thames & Hudson, London, 2019)

Panofsky, Erwin, *Studien zur Ikonologie. Humanistische Themen in der Kunst der Renaissance* (DuMont Reiseverlag, 1992)

Ronnberg, Ami (ed.), *The Book of Symbols – Reflections on Archetypal Images* (Taschen, Berlin, 2010)

Shepherd, Rowena and Rupert, *1000 Symbols. What Shapes Mean in Art and Myths* (Thames & Hudson, London, 2002)

INDEX

Haupteinträge **fett**,
Illustrationen *kursiv*.

Adams, Norman 21
Adler 20, 65, **66–9**,
70, 72
Agar, Eileen 139
Affe **96–9**
Alchemie 27, 158, 167
Alexander der Große
102
Alexander, Jane 98–9, *99*
Ali, Qasim ibn 106–8, *107*
Amor 79, 82, 140, 141,
141, 162
Angelico, Fra 73
Aphrodite, *siehe* Venus
Ashoka 95
Ashurbanipal 95, 140
Athanadoros,
Hagesandros
und Polydoros
von Rhodos 101
Auge **128–9**
Aura 16, 132, **134–5**, 145

Bacon, Mary Anne 57
Banksy 65
Basquiat, Jean-Michel
155
Beccafumi, Domenico
79
Beckmann, Max 157
Beethoven, Ludwig
van 96
Bellini, Giovanni *36*, 50,
52, 52–3
Bembo, Bernardo 43
Benci, Ginevra de' 43
Berg **14–15**, 23, 29, 162
Bermejo, Bartolomé
152, *153*
Bernini, Gian Lorenzo 43
Blake, William 23,
108–9, *109*
Blitz **22–3**, 24, 69
Blut 12, **124–7**, 145
Böcklin, Arnold 41
Bonaparte, Napoleon
66, 74, 102–3, 103,
119, 145
Bosch, Hieronymus 113
Botticelli, Sandro 16,
18–19, 21, 50, 119,
138, 139
Botticini, Francesco 132
Bouts, Aelbert
(Werkstatt von)
144–5, *144*
Breton, André, 27

Bronzino, Agnolo
140–41, *141*
Brown, Ford Madox 117
Burne-Jones, Sir Edward
108, 157
Buddha 16, 46, 48, 72,
95, *116*, 117, *118*, 119,
122, 123, 129, *134*, 135

Campin, Robert 15,
44–5, *45*
Canova, Antonio 43
Caravaggio 51, 101, 117,
117, 126, 139, 165
Casas, R. 100–1, *101*
Chantelou, Paul Fréart
de 128
Chitarman 132–3, *133*
Christus, *siehe* Jesus
Cibber, Caius Garbriel
74–5, *75*
Conner, Lois 48
Constable, John 17
Correggio, Antonio da 17
Cosimo, Piero di 90
Cossa, Francesco del 129
Craig-Martin, Michael 12
Cranach der Ältere,
Lucas 101
Crivelli, Carlo 73
Cummins, Paul and
Piper, Tom 57

Dalí, Salvador 161
Darwin, Charles 98
Das, Kesu 77
David, Jacques-Louis
69, 102–3, *103*, 119,
145
Delvaux, Paul 113
Dinteville, Jean de 144
Donatello 155
Dorn 51, 141, 142, *144*,
145
Douglas, Aaron *136*,
156–157, *157*
Drache 16, 29, 74,
106–9
Durán, Diego 10
Dürer, Albrecht 95, 151,
158–9, *159*
Dyck, Sir Anthony van
58–9, *59*, 90, 145,
147

Eakins, Thomas 126
El Greco *64*
Eliasson, Olafur 30, *31*

Engel 16, 44, 124,
130–33
Ernst, Max 26, 26–7, 58
Eros, *siehe* Amor
Eule **70–71**
Eyck, Jan van 50, 68,
165

Falke 20, 65, 70, **76–7**
Fruchtbarkeit 10, 23, 50,
53, 65, 72, 92, 100
Feuer 12, 29, **32–5**
Fisch **92–3**
Fosse, Charles de la 60
Franz I., König von
Frankreich 140
Freud, Sigmund, 27
Fuß 46, **116–7**

Gan, Han 104–105, *105*
Gaozu 106
Geburt 10, 12, 32, 44,
46, 48, 92, 106,
138, 139
Gentileschi, Artemisia
146–8, *146*, *147*, 155
Geste 118, **122–3**, 145
Ghirlandaio, Domenico
82
Gibbons, Grinling 53
Gillray, James 74
Giotto 35, 132
Gogh, Vincent van
40–41, *40*, 60
Goltzius, Hendrick 85
Gorgonen 23
Gormley, Antony 132
Goya, Francisco de, 27,
39, 71
Gu, Gong 93
Guerrilla Girls 98

Hals, Frans 115
Hamadani, Rashid al-
Din 92
Handgestik **122–3**, 145
Helst, Bartholomeus van
der 60
Hideyoshi, Toyotomi 41
Hilliard, Nicholas 17
Hirsch **86–7**
Hirst, Damien 115
Höch, Hannah 160–61,
160
Hockney, David 45
Hogarth, William 38–39,
38, 39

Hokusai, Katsushika 12,
14–15, *14*, 41
Holbein, Hans 113,
114–15, *114*
Holt, Nancy 30,
Hund **88–91**
Hunt, William Holman
82–3, *83*

Ice-T 66
Ingres, Jean-Auguste-
Dominique 66

Jesus 12, 20, 24, 38,
39, 50, 51, 52, 53,
56, 74, 82, 116, 117,
124, 135, 139, 142,
145, 154
Johnson, James Weldon
156
Jonas, Joan 165
Jungfrau Maria *12*, 24,
25, 38, 44, *45*, 50,
51, 93

K Foundation 35
Kahlo, Frida 87, 98,
113, *113*
Kandinsky, Wassily 21,
104, 157
Kanō Eitoku 41, *41*
Kapoor, Anish 15
Karl I., König von England
58, 59
Katze **82–5**, 88
Kauffman, Angelica *20*,
20–21
Keli, Ren 95
Khan, Kublai 76
Kiefer, Anselm *8*, *34*,
35, 51
Klimt, Gustav *80*, 96–8,
96–7
Kranich 70, 76, **78–9**,
86
Krone 24, **142–5**
Kuniyoshi, Utagawa 108,
112, *112*

Leonardo da Vinci 12, 39,
43, *43*, 53
Lilie 38, **44–5**, 51, 69
Lippi, Fra Filippo 73
Löwe **94–5**, 140
Lorbeer 38, **42–3**, 53,
142
Lorenzetti, Pietro 51
Lorrain, Claude 15

Lotos **46–9**, 95
Lucy Legend, 24–5, *25*

Magritte, René 129
Mandala 48, *49*, 106,
168
Mandorla 130, 135, 168
Manet, Édouard 85
Mantegna, Andrea
117, 119
Maria, Walter de **23**
Martini, Simone 45
Masaccio 93
Maske 139, 141, **146–9**
Masolino 130–31, *131*
Medici, Cosimo I. de'
140
Memling, Hans 151
Michelangelo 30, 57, 70,
108, 119
Millais, John Everett
56–7, *56*
Millet, Francisque 23
Mohn 38, 40, **56–7**, 70
Mond 20, **24–7**, 29,
48, 115
Monet, Claude 30,
Monte, Niccolò Lorini
del 116
Morgan, Evelyn de, 27
Morris, William 73
Muschel 92, **138–9**, 156

Nash, Paul 71
Nelke **38–9**

O'Keeffe, Georgia 115

Palme 38, 42, 43,
50–51
Perry, Grayson 119,
120–21
Pfau 69, **72–3**
Pfeil und Bogen **140–41**
Pferd **102–5**, 108
Phidias 69, 104
Phönix **74–5**, 76, 79,
106, 108
Picasso, Pablo 65
Pintoricchio 77
Pisanello 87.
Polo, Marco 76
Posada, José Guadalupe
113
Pose **118–21**
Poussin, Nicolas 69, 128,
128, 148, 161
Pseudo-Dionysius 130

Quinn, Marc 124–5, *125*

Regenbogen **20–21**, 22
Raffael 50, 79
Rauschenberg, Robert
69
Rembrandt 70, *70*
Reynolds, Sir Joshua 141
Riemenschneider, Tilman
123, *123*
Ripa, Cesare 147
Robert, Hubert, 41
Rossetti, Dante Gabriel
50–51, *51*, 57, 161
Rousseau, Henri, 27, 95
Rubens, Peter Paul 16,
21, 35, 53, 72–3, *73*
Ruhm 156
Ruskin, John 37, 50, 82

Sahba, Fariborz 48
Sargent, John Singer 39
Sasaki, Sadako 79
Schädel **114–15**
Schiele, Egon 60
Schlange 85, 98, **100–1**,
138
Schwert **152–5**
Selve, George de 114
Senwosret II. 77
Shah Jahan 132
Shakespeare, William 57
Shiva 14, 32, *33*, 35,
122, 142
Shonibare, Yinka 53,
54–55
Siemiginowski-Eleuter,
Jerzy 53
Skelett **112–13**
Solario, Andrea 39
Sonne 20, 24, 25, 26,
28–31, 46, 48, 71
Sonnenblume **58–61**
Spencer, Sir Stanley 45
Spiegel 82, 151, **162–5**
Steenwyck, Harmen 161
Steinlen, Théophile 85
Stigmata *52*
Stubbs, George 104

Tacitus 35
Tanning, Dorothea
58–61, *61*
Tatsuyuki, Imazu *62*, *72*
Taube 20, 24, 51, **64–5**,
70
Tiepolo, Giovanni
Battista 101

Tintoretto, Jacopo
68–9, *68*
Tizian 65, 87, 95, 165
Tod 7, 12, 23, 32, 39, 40,
48, 50, *56*, 57, 65,
69, 70, 72, 87, 88,
97, 100, 112, *113*, 114,
115, 126, 158, 169
Trompete 43, **156–7**
Turner, J. M. W. 12
Tutanchamun 46

Uccello, Paolo 108

Varma, Ravi 126
Velázquez, Diego 93,
162–3, *163*
Veneziano, Paolo 57
Venne, Adriaen Pietersz
van de 21
Venus 65, 79, 86, 113,
138, *138*, 139, 140,
141, 162, 163, *163*, 165
Vermeer, Jan 42–3, *42*,
150–51, *150*
Veronese, Paolo 43,
89–90, *89*, 98, 141
Verrocchio, Andrea da 12
Viola, Bill 12, *13*

Waage **150–51**
Wagner, Richard 12
Walker, Kara 152–5,
154–5
Wasser **10–13**, 15, 16, 22,
74, 92, 138
Weenix, Jan 41
Wein 50, 51, **52–5**
Weintraube 50, 51, **52–5**
Wiedergeburt, *siehe*
Geburt
Wiley, Kehinde 66–9, *67*
Wolke **16–19**, 20, 22,
106
Wren, Sir Christopher 74
Wright, Joseph 21

Xuanzong 104

Yoshitoshi, Tsukioka, 27

Zeitanzeige **158–61**
Zurbarán, Francisco
de 45
Zypresse **40–41**, 74

BILDNACHWEISE

o oben **l** links **r** rechts **b** unten

11 National Museum für Anthropologie, Mexiko-Stadt; **13** Foto Kira Perov. © Bill Viola Studio; **14** Metropolitan Museum of Art, New York, NY. Rogers Fund, 1914; **17l**, **17r** Metropolitan Museum of Art, New York, NY. Schenkung von Bashford Dean, 1914; **18–19** Uffizien, Florenz. Foto Scala, Florenz. M. frdl. Gen. von Ministero Beni e Att. Culturali e del Turismo; **20** Royal Academy of Arts, London. Fotograf John Hammond; **22l**, **22r** Metropolitan Museum of Art, New York, NY. Kauf, The Michael C. Rockefeller Memorial Collection, Nachlass von Nelson A. Rockefeller und Schenkungen von Nelson A. Rockefeller, Nathan Cummings, S. L. M. Barlow, Meredith Howland, und Captain Henry Erben, Tausch und Spenden, 1980; **23** Foto John Cliett, m. frdl. Gen. von Dia Art Foundation, New York, NY. © The Estate of Walter de Maria; **25** National Gallery of Art, Washington, DC, Samuel H. Kress Collection; **26** Tate, London. Ernst © ADAGP, Paris and DACS, London 2020; **28**, **29** Philadelphia Museum of Art, Kauf mit Museums-Fond, 1951-29-7; **31** Foto Andrew Dunkley & Marcus Leith m. frdl. Gen. des Künstlers; neugerriemschneider, Berlin; Tanya Bonakdar Gallery, New York, NY/Los Angeles, CA. © 2003 Olafur Eliasson; **33** Freer Art Gallery, Smithsonian Museum, Washington, DC; **34** Privatsammlung, San Francisco. Foto Atelier Anselm Kiefer. © Anselm Kiefer; **38**, **39** The National Gallery, London/Scala, Florenz; **40** Museum of Modern Art, New York, NY/Scala, Florenz; **41** Nationalmuseum Tokio; **42l**, **ur**, **br** Kunsthistorisches Museum, Wien; **43** National Gallery of Art, Washington, DC, Alisa Mellon Bruce Fund; **45** Metropolitan Museum of Art, New York, NY. The Cloisters Collection, 1956; **47** Ägyptisches Museum, Kairo; **49** Metropolitan Museum of Art, New York, NY. Kauf, Fletcher Fund and Joseph E. Hotung and Danielle Rosenberg Gifts, 1989; **51** Tate, London; **52** Frick Collection, New York, NY/Bridgeman Images; **54–5** Bild m. frdl. Gen. Stephen Friedman Gallery. Foto Stephen White. © Yinka Shonibare CBE. All Rights Reserved, DACS/Artimage 2020; **56** Tate, London; **59** Privatsammlung/Bridgeman Images; **61** Tate, London. Tanning © ADAGP, Paris and DACS, London 2020; **64** Museo Nacional del Prado, Madrid. Foto MNP/Scala, Florenz; **65** Privatsammlung/Bridgeman Images. © Succession Picasso/DACS, London 2020; **67** M. frdl. Gen. Rhona Hoffman Gallery. © 2020 Kehinde Wiley; **68** National Gallery, London; **70** Calouste Gulbenkian Museum/Scala, Florenz; **71** Metropolitan Museum of Art, New York, NY. The Michael C. Rockefeller Memorial Collection, Nachlass von Nelson A. Rockefeller, 1979; **72** Metropolitan Museum of Art, New York, NY. Kauf, Mary and James G. Wallach Foundation Gift, 2015; **73** Louvre, Paris. Foto Josse/Bridgeman Images; **75** Terence Waeland/Alamy; **76** Los Angeles County Museum of Art. Aus der Nasli and Alice Heeramaneck Collection, Museum Associates Purchase; **77** Metropolitan Museum of Art, New York, NY. Purchase, Rogers Fund and Henry Walters Gift, 1916; **78** Metropolitan Museum of Art, Kauf, Friends of Asian Art Gifts, 2015; **83** Tate, London; **84** Metropolitan Museum of Art, Harris Brisbane Dick Fund, 1956; **86** Hosomi Minoru, Osaka; **87** Metropolitan Museum of Art, New York, NY. Edward Elliott Family Collection, Kauf, The Dillon Fund Gift, 1982; **89** National Gallery, London/Scala, Florenz; **91** Adam Eastland/Alamy; **93** Metropolitan Museum of Art, New York, NY. Purchase, Joseph Pulitzer Nachlass, 1933; **94** Sarnath Museum, Uttar Pradesh, India/Bridgeman Images; **96–7** akg-images/Erich Lessing; **99** Castle of Good Hope, Kapstadt. © Jane Alexander/DALRO/DACS 2020; **100** The Trustees of the British Museum, London; **101** Wellcome Collection, London; **103** Kunsthistorisches Museum, Wien; **105** Metropolitan Museum of Art, New York, NY. Purchase, The Dillon Fund Gift, 1977; **107** Metropolitan Museum of Art, New York, NY. Gift of Arthur A. Houghton Jr, 1970; **109** Brooklyn Museum of Art, New York, NY/Bridgeman Images; **112** Victoria and Albert Museum, London; **113l**, **113r** Sammlung von Daniel Filipacchi, Paris. © Banco de México Diego Rivera Frida Kahlo Museums Trust, Mexiko, D.F./DACS 2020; **114** National Gallery, London; **115** Metropolitan Museum of Art, New York, NY. Kauf, Anonymous Gift and Rogers Fund, 1989; **116** Yale University Art Gallery. Schenkung von Rubin-Ladd Foundation aus dem Nachlass von Ester R. Portnow; **117** Kirche von Sant'Agostino, Rom. Foto Scala, Florenz; 118 Metropolitan Museum of Art, New York, NY. Kauf, The Annenberg Foundation Gift, 1992; **120–21** M. frdl. Gen. des Künstlers, Paragon I Contemporary Editions Ltd and Victoria Miro, London/Venedig. © Grayson Perry; **122l** Cleveland Museum of Art. Schenkung von Morris und Eleanor Everett im Andenken an Flora Morris Everett 1972.43; **122r** Rijksmuseum, Amsterdam. Leihgabe von Asian Art Society in The Netherlands (Kauf J. G. Figgess, Tokio, 1960); **123** National Gallery of Art, Washington, DC, Samuel H. Kress Collection; **125** Bild m. frdl. Gen und Copyright of Marc Quinn studio; **127** The Trustees of the British Museum, London; **128** Foto Musée du Louvre, Dist. RMN-Grand Palais/Angèle Dequier|; **129** The Trustees of the British Museum, London; **131** Foto © Luisa Ricciarini/Bridgeman Images; **133** Metropolitan Museum of Art, New York, NY. Purchase, Rogers Fund and The Kevorkian Foundation Gift, 1955; **134** Metropolitan Museum of Art, New York, NY. Rogers Fund, 1938; **138** Azoor Travel Photo/Alamy; **139** Los Angeles County Museum of Art, Schenkung von Mr. und Mrs. Harry Lenart; **140** British Museum, London; **141** National Gallery, London; **143** Kimbell Art Museum, Fort Worth, Texas/Bridgeman Images; **144** Metropolitan Museum of Art, New York, NY. The Friedsam Collection, Bequest of Michael Friedsam, 1931; **146**, **147** Royal Collection Trust, London; **149** Metropolitan Museum of Art, New York, NY. Gift of Russell Sage, 1910; **150** National Gallery of Art, Washington, DC, Widener Collection 1942.9.97; **153** National Gallery, London; **154–5** Museum of Modern Art, New York, NY. © Kara Walker, m. frdl. Gen. Sikkema Jenkins & Co., New York, NY; **157** National Gallery of Art, Washington. Patrons' Permanent Fund, The Avalon Fund. © Heirs of Aaron Douglas/VAGA at ARS, NY and DACS, London 2020; **159** National Gallery of Art, Washington, DC, Gift of R. Horace Gallatin, 1949.1.17; **160** Privatsammlung. Höch © DACS 2020; **163** National Gallery, London; **164** Trustees of the British Museum, London

ART ESSENTIALS

www.artessentials.de
www.midascollection.com

IMPRESSUM

© 2021 Midas Collection
ISBN 978-3-03876-177-8

Herausgeber: Gregory C. Zäch
Übersetzung: Claudia Koch,
              Kathrin Lichtenberg
Korrektorat: Petra Heubach-Erdmann
Layout: Ulrich Borstelmann

Midas Verlag AG
Dunantstrasse 3
CH 8044 Zürich

www.midas.ch

Englische Originalausgabe:
Symbols in Art © 2020
Thames & Hudson Ltd, London
Text © 2020 Stephanie Straine
Design by April

Die deutsche Nationalbibliothek
verzeichnet diese Publikation in der
Deutschen Nationalbibliografie;
detaillierte bibliografische Daten sind
im Internet abrufbar unter:
http://www.dnb.de

QUELLENANGABEN

Umschlagseite: Lucas Cranach der Ältere, *Adam und Eva*, 1526 (Detail), Öl auf Holz, 117 cm x 80 cm. The Courtauld Gallery, London

Titelseite: Unbekannter Künstler, *Prinz mit einem Falken*, ca. 1600–1605 (Detail von S. 76). Los Angeles County Museum of Art, Los Angeles, USA

Kapitelanfangsseiten: S. 8 Anselm Kiefer, *Mann im Wald*, 1971 (Detail von S. 34). Privatsammlung, San Francisco, USA; **S. 36** *Der Heilige Franziskus in der Wüste*, ca. 1476–1478 (Detail von S. 52). Frick Collection, New York, USA; **S. 62** Imazu Tatsuyuki, *Pfauen und Kirschbaum*, ca. 1925 (Detail von S. 72). Metropolitan Museum of Art, New York; **S. 80** Gustav Klimt, Beethovenfries, 1902 (Detail von S. 96). Sezessionsgebäude, Wien; **S. 110** Unbekannter Künstler, *Chinnamastā*, 19. Jahrhundert (Detail von S. 127). British Museum, London; **S. 135** Aaron Douglas, *The Judgement Day*, 1939 (Detail von S. 156). National Gallery, Washington, USA

Zitate: S. 9 Samuel Taylor Coleridge, *Biographia Literaria* (Rest Ferner, London, 1817), S. 146; **S. 37** John Ruskin, *Modern Painters*, Vol. 3 (Smith, Elder & Co., London, 1856), S. 101; **S. 63** William Blake, *The Marriage of Heaven and Hell* (London, 1793), S. 7; **S. 81** J. C. Cooper, *An Illustrated Encyclopaedia of Traditional Symbols* (Thames & Hudson, London, 1978); **S. 111** Ralph Waldo Emerson, »The Poet«, aus *Essays: Second Series* (James Munroe & Co., Boston, 1844), S. 21; **S. 136** Thomas Carlyle, *Sartor Resartus* (Ginn & Co, Boston, 1897); **S. 166** Charles Baudelaire, *Fleurs du mal* (Mt Vernon, NY: Peter Pauper Press, 1958; Original Paris 1857)